W9-BMS-890

PSORIASIS

MODUS VIVENDI

IMPORTANT

Ce livre ne vise pas à remplacer les conseils médicaux personnalisés, mais plutôt à les compléter et à aider les patients à mieux comprendre leur problème.

Avant d'entreprendre toute forme de traitement, vous devriez toujours consulter votre médecin.

Il est également important de souligner que la médecine évolue rapidement et que certains des renseignements sur les médicaments et les traitements contenus dans ce livre pourraient rapidement devenir dépassés.

© 2007 Family Doctor Publications, pour l'édition originale.
© 2007, 2014 Les Publications Modus Vivendi inc., pour l'édition française.
© Bannerwega l Dreamstime.com, pour l'image de la page couverture.

L'édition originale de cet ouvrage est parue chez Family Doctor Publications sous le titre *Understanding Psoriasis*

LES PUBLICATIONS MODUS VIVENDI INC.
55, rue Jean-Talon Ouest, 2ᵉ étage
Montréal (Québec) H2R 2W8
CANADA

www.groupemodus.com

Éditeur : Marc Alain
Design de la couverture : Gabrielle Lecomte
Infographie : Transmédia
Traduction : Claudine Azoulay

ISBN : 978-2-89523-841-6

Dépôt légal – Bibliothèque et Archives nationales du Québec, 2014
Dépôt légal – Bibliothèque et archives Canada, 2014

Nous reconnaissons l'aide financière du gouvernement du Canada par l'entremise du Fonds du livre du Canada pour nos activités d'édition.

Gouvernement du Québec — Programme de crédit d'impôt pour l'édition de livres — Gestion SODEC

Imprimé en Chine

Table des matières

L'auteur

Le Dr Andrew Warin est dermatologue consultant au Royal Devon and Exeter Healthcare NHS Trust. Il s'intéresse depuis longtemps au traitement du psoriasis ainsi qu'à l'éducation du patient et du grand public. Il vient tout juste de mettre au point un programme d'information interactive sur CD-ROM portant sur le psoriasis et destiné aux patients.

Qu'est-ce que le psoriasis ?

Quiconque reçoit un diagnostic de psoriasis risque d'en être accablé. Toutefois, même s'il vous faudra inévitablement un certain temps pour vous faire à cette idée, vous pourrez trouver un certain réconfort en sachant que le psoriasis apparaît par intermittence, qu'il disparaît même parfois pour de bon et qu'il varie en gravité, ses formes pouvant aller de très légères à très sévères, ces dernières étant plus rares.

Le psoriasis s'avère une affection incroyablement courante, qui touche de 1 à 3 % de la population, à peu près partout dans le monde. Il semble être plus fréquent en Europe et aux États-Unis et l'être moins chez les personnes de race noire d'Afrique occidentale et d'Amérique latine. Le psoriasis touche aussi fréquemment les hommes que les femmes. Bien qu'il puisse se déclarer à n'importe quel âge, il survient souvent pour la première fois chez les filles de 5 à 9 ans et les garçons de 15 à 19 ans. Il peut aussi se déclarer pour la première fois chez les hommes et les femmes entre 57 et 60 ans.

On ne connaît pas avec certitude la cause du psoriasis. Si le psoriasis existe dans votre famille, vous pourriez hériter d'une prédisposition à cette affection. Cette prédisposition peut ensuite être activée par une infection, certains médicaments ou le stress, bien qu'il soit souvent impossible d'identifier les facteurs déclenchants spécifiquement responsables. Par ailleurs, il se produit des anomalies d'ordre chimique au sein des cellules cutanées qui interagissent et favorisent les modifications caractéristiques de la peau observées dans le psoriasis. Ce qui est certain, c'est l'absence de virus ou de bactérie sur la peau. Le psoriasis n'est pas contagieux.

Le psoriasis se manifeste par des taches roses ou rouges sur la peau et en relief. Ces taches se distinguent parfaitement de la peau saine, puisqu'elles présentent un contour bien défini. Elles portent le nom de « plaques ». Les plaques ont une surface squameuse et leur taille peut varier de très petite à très grande. Certaines personnes psoriasiques souffrent en outre de démangeaisons.

Les plaques sont le résultat d'une anomalie dans le renouvellement des cellules cutanées. La couche externe de la peau (l'épiderme) se renouvelle constamment en raison du frottement causé par les activités de la vie quotidienne. Chez les psoriasiques, les cellules épidermiques sont remplacées à un rythme trop rapide et en trop grande quantité. Les cellules apparaissant à la surface de la peau ne sont pas formées convenablement et s'accumulent sous forme de plaques. Les vaisseaux sanguins sous-jacents étant eux aussi endommagés, ils causent la rougeur fréquemment associée au psoriasis. Les globules blancs qui migrent dans les plaques forment parfois des pustules au niveau de l'épiderme. Ces cloques ou pustules peuvent apparaître sur la plante des pieds et la paume des mains. Des changements peuvent également se produire aux ongles, qui vont épaissir, s'abîmer et présenter de minuscules trous.

Un nombre restreint de patients psoriasiques souffriront en outre de problèmes d'articulations : pour de plus amples informations à ce sujet, voir « Psoriasis, autres maladies et hygiène de vie », page 72.

Il est très difficile de prédire si votre psoriasis s'aggravera, s'améliorera ou restera stable au cours de votre vie. Le psoriasis a tendance à se comporter comme une affection chronique, même s'il existe en général des périodes où il s'améliore grandement et d'autres où il survient en poussées.

Il n'existe aucun remède définitif au psoriasis, même s'il lui arrive parfois de disparaître purement et simplement de lui-même. Les traitements se sont néanmoins grandement améliorés au cours des dernières années. Même si le psoriasis demeure un problème considérable pour de nombreuses personnes, les ressources mises à la disposition des patients psoriasiques sont plus importantes que jamais.

POINTS CLÉS

- Le psoriasis touche de 1 à 3 % de la population.

- Il forme des plaques rouges et squameuses.

- Il n'est pas contagieux.

Les modifications de la peau

Peau normale

La peau est l'organe le plus grand du corps. Elle pèse dans les quatre kilogrammes et s'étend sur environ deux mètres carrés. Elle constitue le point de contact avec l'environnement, protège l'organisme des substances chimiques, des bactéries et des rayonnements, tout en le maintenant à une température stable et en lui évitant la perte de liquides organiques et de substances chimiques essentielles. La peau renferme des terminaisons nerveuses nécessaires au toucher. Les ongles, qui font également partie de la couche épidermique, font office de levier quand on ouvre un objet.

La peau est étanche, robuste et résistante, quoique flexible. Elle se compose de deux couches de cellules. La couche extérieure, appelée épiderme, est constituée de cellules épithéliales. L'épiderme est soutenu par le derme, un réseau de fibres élastiques, de vaisseaux sanguins, de racines de poils, de follicules pileux, de terminaisons nerveuses, de glandes sudoripares et de ganglions lymphatiques. Sous le derme, se situe une autre couche de cellules, appelée l'hypoderme, qui renferme du tissu conjonctif lâche et de la graisse.

L'épiderme renferme de nombreuses couches de cellules très tassées. Les cellules situées près de la surface de la peau sont plates et contiennent une substance dure appelée kératine. L'épiderme ne contient pas de vaisseaux sanguins; ceux-ci ne sont présents que dans le derme et les couches les plus profondes. À certains endroits, l'épiderme est épais (1 mm d'épaisseur sur la paume des mains et la plante des pieds) alors qu'à d'autres, il est mince (0,1 mm seulement sur les paupières). Les cellules mortes se détachent de la surface de l'épiderme sous forme de très fines squames et sont remplacées par d'autres cellules qui migrent depuis les couches les plus profondes (basales) vers les couches superficielles sur une période de quatre semaines.

Modifications de la peau

Que se produit-il sur la peau des personnes atteintes de psoriasis, qui est à l'origine des plaques rouges et squameuses ? Dans une peau psoriasique, l'épiderme

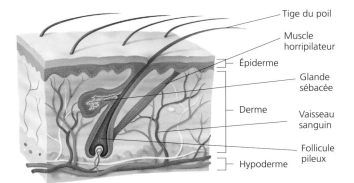

La peau protège l'organisme contre les substances chimiques, les bactéries et les rayonnements. Elle contribue à maintenir le corps à une température stable et prévient la perte des liquides organiques et des substances chimiques essentielles pour l'organisme.

se renouvelle à un rythme beaucoup plus rapide que dans une peau saine, peut-être sept fois plus vite. Les cellules épidermiques n'ont alors pas le temps de parvenir à maturité. Au lieu d'être pratiquement invisibles, chez les personnes psoriasiques, les squames sont visibles, blanches et flottantes, et elles se détachent facilement si on gratte délicatement les plaques.

Les plaques ont un aspect argenté et squameux parce qu'elles renferment une abondance de cellules cutanées non parvenues à maturité. Si l'on prélève un échantillon de plaque de psoriasis (une technique appelée biopsie), on remarque la présence d'un renouvellement cellulaire accéléré et d'une inflammation. Le renouvellement cellulaire accéléré est indiqué par une prolifération des cellules qui composent la kératine (kératinocytes). On observe aussi que les cellules épidermiques ne se développent pas complètement. Leur maturation incomplète est prouvée par la présence de leur noyau, support du matériel génétique de la cellule. Lorsque les cellules migrent des couches basales vers l'épiderme, habituellement, leur noyau disparaît. Or, les couches extérieures des plaques possèdent encore leur noyau, appelé parakératose, ce qui démontre que les cellules ont migré trop rapidement vers la surface de la peau et qu'elles sont à l'origine des squames argentées décrites auparavant.

Les plaques présentent aussi une rougeur, car dans le psoriasis, les vaisseaux sanguins situés dans le derme sont dilatés (agrandis), ce qui accroît le flux sanguin et confère aux plaques leur couleur rouge.

Symptômes inflammatoires

Dans le psoriasis, l'inflammation est considérable et cause des plaques rouges et irritées. On ne sait pas avec certitude si les altérations cutanées sont causées par un disfonctionnement du système immunitaire (une hyper-sensibilité, par exemple) ou si le système immunitaire est activé parce que la peau est altérée. De toute façon, on retrouve dans l'épiderme des personnes psoriasiques un grand nombre de cellules qui d'ordinaire combattent les infections et réparent les lésions subies par la peau.

Dans le derme des personnes atteintes, on observe souvent les globules blancs appelés lymphocytes T (cel-lules T). La ciclosporine A, un médicament qui peut s'avérer très bénéfique dans les cas de psoriasis sévère, neutralise ces lymphocytes T, ce qui laisse à penser que ces cellules puissent jouer un rôle dans le développement du psoriasis.

Comme il a déjà été dit, un renouvellement accru des cellules constitue la cause principale des plaques rouges et squameuses du psoriasis. Cependant, des études

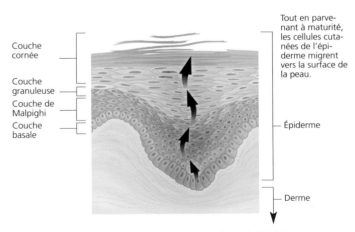

Couche cornée

Couche granuleuse

Couche de Malpighi

Couche basale

Tout en parve-nant à maturité, les cellules cuta-nées de l'épi-derme migrent vers la surface de la peau.

Épiderme

Derme

Les cellules mortes se détachent de la surface de l'épiderme sous forme de fines squames. Elles sont remplacées par d'autres cellules qui migrent des couches les plus profondes vers les couches superficielles, sur une période de quatre semaines dans le cas d'une peau normale.

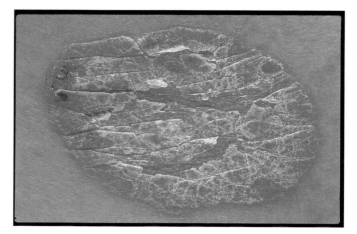

Dans une peau psoriasique, l'épiderme se renouvelle à un rythme beaucoup plus rapide que dans une peau normale. Les cellules cutanées non arrivées à maturité atteignent la surface et y forment des plaques de squames flottantes, bien visibles.

cliniques et des biopsies de peau suggèrent que des modifications immunitaires pourraient aussi entrer en ligne de compte. Par conséquent, nombre de traitements antipsoriasiques visent à contrer le renouvellement cellulaire accéléré, les facteurs immunologiques ou une combinaison des deux. On estime à présent que le psoriasis est une affection auto-immune dans laquelle la présentation d'un antigène aux cellules cutanées T auxiliaires déclenche la sécrétion de substances chimiques appelées cytokines, à l'origine de l'inflammation et de la prolifération de kératinocytes. L'antigène en question reste pour l'instant inconnu.

POINTS CLÉS

- Dans le psoriasis, la peau se renouvelle tous les 4 jours au lieu des 28 jours habituels.

- Les taches argentées et squameuses s'appellent des plaques.

- Les plaques sont constituées de cellules cutanées qui ne sont pas parvenues à maturité.

- Des facteurs immunologiques entrent en jeu dans la formation des plaques.

Qu'est-ce qui cause le psoriasis ?

Nul ne sait avec certitude ce qui cause le psoriasis. Il existe néanmoins deux éléments qui contribueraient au développement de cette affection : 1) une prédisposition héréditaire et 2) des facteurs déclenchants, à l'origine de l'apparition du psoriasis.

Prédisposition héréditaire

Bien souvent, quoique pas toujours, le psoriasis est une maladie familiale. Il est toutefois difficile de prédire sa transmission, car les anomalies qui engendrent cette affection sont portées par plusieurs gènes différents. Il n'existe aucun test génétique capable de prédire avec certitude si vous serez ou non atteint de psoriasis. Si plusieurs membres de votre famille ont du psoriasis, vous courez davantage de risque d'en avoir qu'une personne n'ayant aucun proche touché par cette affection; il n'est néanmoins absolument pas certain que vous en aurez.

Inversement, certaines personnes ont du psoriasis de manière inattendue alors qu'aucun de leurs proches n'en a jamais eu. En réalité, seulement un tiers des patients psoriasiques indiquent avoir des membres de leur famille atteints par la maladie. De ce fait, le caractère héréditaire du psoriasis est semblable à celui de la couleur des yeux. Si vos deux parents ont les yeux bruns, vous et votre fratrie avez des chances d'avoir les yeux bruns, sans que ce ne soit effectivement le cas. Vous pouvez avoir les yeux noisette ou bleus, car – comme c'est le cas pour le psoriasis – la couleur des yeux est portée par plusieurs gènes et son schéma de transmission est imprévisible. Il reste que, en raison de ce facteur génétique, le psoriasis risque davantage de se déclarer chez des personnes ayant beaucoup de membres de leur famille proche atteints par la maladie.

En matière d'hérédité, les preuves les plus évidentes proviennent d'études réalisées sur des jumeaux. Si un faux jumeau est atteint de psoriasis, son jumeau a un risque de 20 % d'en être atteint. Dans le cas de vrais jumeaux, toutefois, le risque grimpe à 73 %. Des faux jumeaux ressemblent génétiquement à des frères et sœurs tandis que de vrais jumeaux possèdent exactement les mêmes gènes. Il peut être surprenant que chez les vrais jumeaux, le risque ne soit que de 73 %, et non de 100 % : c'est le signe que d'autres facteurs, sans doute environnementaux, entrent également en jeu.

Il semblerait que l'on hérite d'une susceptibilité à développer un psoriasis. L'affection ne se développe que si l'on est exposé à des facteurs déclenchants particuliers présents dans l'environnement, tels que les maladies virales, certains médicaments ou le stress.

Si votre enfant a du psoriasis, vous aimeriez savoir si vos autres enfants risquent d'en avoir aussi. Si un enfant a du psoriasis et si ses deux parents en ont aussi, la probabilité qu'un de ses frères ou sœurs en ait est de 50 % (la prévalence du psoriasis dans la population générale n'est que d'à peu près 2 %). Si, toutefois, un seul des parents a du psoriasis, la probabilité qu'un des frères ou sœurs de l'enfant en ait est de 16,4 %. Si un enfant atteint de psoriasis n'a aucun de ses parents affecté, la probabilité qu'un de ses frères ou sœurs en soit atteint tombe à 7,8 %.

Si l'un de vos frères ou sœurs a du psoriasis, vous devez vous demander si vous risquez d'en avoir aussi. La réponse dépend de l'âge auquel le psoriasis s'est déclaré pour la première fois chez votre frère ou votre sœur. Si le psoriasis est apparu chez votre frère ou votre sœur avant leurs 15 ans, le risque que vous en soyez atteint est trois fois plus grand que si votre frère ou votre sœur en ont eu pour la première fois après 30 ans.

De récentes études en génétique moléculaire ont montré que la prédisposition à souffrir de psoriasis est associée à certains gènes situés à certains points des bras longs de deux chromosomes (structures filamenteuses porteuses de plusieurs gènes) particuliers : le chromosome 17 et le chromosome 4. Cette remarque ne s'appliquait cependant qu'aux familles ayant un grand nombre de leurs membres atteints de psoriasis. Ces résultats n'ont pas été confirmés dans la population générale. Par conséquent, un test génétique destiné à cette affection est encore loin d'être disponible.

Facteurs immunologiques

Jusqu'à tout récemment, on supposait que les mécanismes responsables du psoriasis résultaient uniquement de l'épiderme typique d'une peau psoriasique, qui produit de nouvelles cellules à un rythme beaucoup plus rapide que dans une peau normale. On ne tenait presque aucun compte de l'inflammation et des modifications présentes au niveau des vaisseaux sanguins.

Une étude intensive des cellules inflammatoires présentes dans les plaques psoriasiques a indiqué la présence prépondérante de lymphocytes T (une catégorie de globules blancs) de type appelé positif CD4. Ces cellules produisent les cytokines (protéines solubles favorisant la régulation du système immunitaire) qui stimulent la prolifération des kératinocytes. Dès lors que la lésion psoriasique régresse, que ce soit spontanément ou à la suite d'un traitement, les cellules positives CD4 disparaissent. Le rôle central joué par les lymphocytes T dans la stimulation de cette prolifération épidermique est désormais évident.

Ces découvertes sont renforcées par le fait que la ciclosporine, qui est d'une grande efficacité dans le traitement du psoriasis (voir page 60) agit entièrement sur les globules blancs du système immunitaire et n'a aucun effet direct sur la multiplication des cellules épidermiques. En outre, les protéines du système immunitaire qui rendent inactives les cellules CD4 inhibent la multiplication des cellules épidermiques et mènent à une résolution de la plaque psoriasique.

Les facteurs génétiques jouent un rôle crucial et certains facteurs déclenchants, tels une infection streptococcique, entrent également en jeu dans la modulation et la maîtrise de ces phénomènes.

Facteurs déclenchants

Si vous avez une prédisposition génétique à développer un psoriasis, certains facteurs déclenchants peuvent activer la maladie. Cependant, chez la grande majorité des personnes qui développent un psoriasis, il est impossible d'identifier les facteurs déclenchants responsables.

Infection streptococcique

Une infection à streptocoques, cause fréquente d'angine et d'amygdalite, s'avère un facteur déclenchant évident chez certains, surtout chez les enfants et les adolescents. Le type de psoriasis induit de façon la plus évidente par cette infection est le psoriasis en gouttes (voir p. 21), la lésion apparaissant une dizaine de jours après l'amygdalite streptococcique. Chez les patients atteints de psoriasis en plaques, qui est le type le plus fréquent de tous, il est rare qu'une infection streptococcique soit le facteur déclenchant.

Facteurs hormonaux

On observe un pic de survenue du psoriasis à l'apparition des premières règles et à la ménopause (arrêt des menstruations). Le psoriasis a tendance à s'améliorer durant la grossesse et à s'aggraver après l'accouchement. Ces observations ne sont toutefois pas constantes et aucun facteur déclenchant hormonal n'a été clairement défini.

Traumatisme cutané

Si la peau subit une blessure, il peut s'ensuivre un psoriasis. C'est ce qu'on appelle le phénomène de Köbner – pour plus de détails, reportez-vous à la page 30.

Exposition au soleil

La lumière ultraviolette s'avère bénéfique pour la plupart des patients psoriasiques. Toutefois, quelques personnes (moins de 5 % des patients) remarquent que le moindre rayon de soleil – même à une dose ne causant pas de coup de soleil – empire leur état. Certains patients ne développent un psoriasis que sur les zones de leur corps souvent exposées au soleil comme le visage, les mains et les avant-bras. Si une personne a eu un coup de soleil, il y a des risques que le psoriasis se déclare en raison du phénomène de Köbner.

Médicaments

Certains médicaments aggravent un psoriasis déjà présent. C'est le cas en particulier du lithium, employé couramment dans le traitement des personnes maniacodépressives (troubles bipolaires). Si vous avez pris des corticostéroïdes par la bouche pour soigner d'autres affections, vous pourriez remarquer une poussée de votre psoriasis après l'arrêt de votre médication. Il se produit la même réaction si vous avez appliqué sur votre peau des crèmes et des onguents stéroïdes topiques puissants : si vous cessez brusquement l'usage de stéroïdes topiques, il se produit une poussée forte et souvent pustuleuse de votre psoriasis.

Facteurs psychologiques

Il s'avère toujours difficile d'établir un lien entre l'état émotionnel et le psoriasis, ou la plupart des affections de la peau d'ailleurs. Nul doute que chez certaines personnes, les facteurs psychologiques jouent un rôle important, et elles ont effectivement remarqué qu'en période de stress, leur psoriasis s'aggrave. Par ailleurs, le fait d'être atteint d'une maladie de peau désagréable étant lui-même un facteur de stress, il est difficile de distinguer la cause et l'effet. Si, chez certains, le stress peut se révéler un facteur aggravant évident, chez la majorité des patients, il ne constitue pas un facteur déclenchant important de psoriasis.

POINTS CLÉS

- Il existe des facteurs génétiques importants.

- Le psoriasis peut être déclenché par une angine ou une amygdalite streptococcique.

- Le lithium, employé pour le traitement des patients maniacodépressifs, peut empirer le psoriasis.

- Le soleil peut aggraver l'état psoriasique, tout comme il peut l'atténuer.

Les types de psoriasis

Il se peut que votre psoriasis soit intermittent et qu'il disparaisse même pendant des mois, voire des années. Vous pourriez même n'en subir qu'une seule poussée au cours de votre vie. La maladie peut se déclarer lentement, avec la présence de quelques plaques, ou de manière plus fulgurante, notamment à la suite d'une angine causée par la bactérie *Streptococcus*.

En général, les médecins n'ont aucune difficulté à diagnostiquer un psoriasis. Il peut toutefois être confondu avec d'autres maladies de la peau. Chez les personnes âgées, par exemple, le psoriasis peut être pris pour de l'eczéma. L'eczéma et le psoriasis sont deux affections courantes et un patient peut même souffrir des deux à la fois.

Eczéma ou psoriasis ?

L'eczéma, ou dermatite, est caractérisé par une sécheresse et une irritation de la peau. Il se présente sous diverses formes, notamment dermite atopique, asthme et rhume des foins, ou encore irritation ou réaction allergique de la peau à la suite d'une exposition à certaines substances chimiques (eczéma de contact).

Le terme eczéma signifie littéralement « bouillonner ». Dans les premiers stades de la maladie, la peau a l'air

À un stade avancé, un eczéma sèche et forme des squames, risquant alors d'être confondu avec un psoriasis.

Premiers stades d'un eczéma : la peau semble avoir été bouillie, elle est rougie et couverte de minuscules cloques.

L'eczéma, aussi appelé dermatite, se manifeste par une sécheresse et une irritation de la peau. Un psoriasis est souvent pris pour un eczéma.

d'avoir été bouillie : elle est rougie et couverte de minuscules cloques. Il se produit ensuite une sécheresse et une desquamation; c'est à ce stade que le psoriasis peut être pris pour de l'eczéma.

Les personnes âgées ayant tendance à avoir la peau sèche et de l'eczéma, il est souvent difficile de déterminer si l'éruption cutanée est causée par de l'eczéma, par du psoriasis, ou bien par les deux. Même une biopsie peut s'avérer non concluante. Il importe cependant de déterminer la cause de l'éruption, puisque certains traitements antipsoriasiques topiques peuvent irriter une peau atteinte d'eczéma.

Chez les adolescents, il peut s'avérer difficile de distinguer un psoriasis d'une dermatite séborrhéique. La dermatite séborrhéique est une forme d'eczéma qui se manifeste par un cuir chevelu squameux et une éruption caractéristique sur le visage et le tronc. Elle est causée, du moins en partie, par une infection due à une levure appelée *Pityrosporum*. La dermatite séborrhéique affecte la peau au-delà de la lisière du cuir chevelu, les sourcils, la partie externe des oreilles, les ailes du nez, les plis naso-labiaux, ainsi que les aisselles, la poitrine et l'aine. Elle cause également une irritation des yeux.

On peut confondre le psoriasis et la dermatite séborrhéique parce que le psoriasis peut, à son stade initial, toucher les mêmes parties du corps. Les traitements employés pour ces deux affections étant différents, il importe d'essayer de les différencier même si, parfois, seul le temps tranchera. Le traitement de la dermatite séborrhéique implique des crèmes antifongiques et des lotions capillaires, ainsi que des crèmes au soufre et à l'acide salicylique destinées à réduire l'inflammation. Si, à l'instar du psoriasis, la dermatite séborrhéique ne se guérit pas, on peut en revanche l'atténuer considérablement.

Le psoriasis en plaques

Ce psoriasis, aussi appelé psoriasis vulgaire, est le plus fréquent. Les plaques ne démangent habituellement pas beaucoup. En revanche, elles sont rouges et couvertes de squames floconneuses d'un blanc argenté. Quand on gratte les squames, avec l'ongle par exemple, les plaques peuvent saigner.

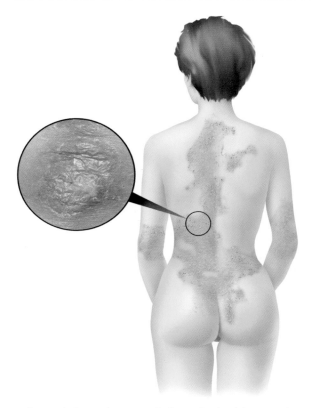

Le psoriasis en plaques est la forme la plus fréquente de toutes.
Les plaques ne démangent habituellement pas beaucoup.
En revanche, elles sont très rouges et couvertes de squames
floconneuses d'un blanc argenté.

Contrairement à la plupart des formes d'eczéma, les
plaques présentent en général un contour bien défini et
sont normalement symétriques (identiques de chaque
côté du corps). Les zones les plus souvent touchées sont
les coudes, les genoux et le cuir chevelu, mais les plaques
peuvent apparaître n'importe où sur le corps. Le visage
n'est heureusement pas fréquemment atteint, même si

le front peut l'être lorsque le cuir chevelu l'est aussi et les lésions apparaissent alors au-delà de la limite des cheveux.

L'aspect des plaques dépend de leur localisation sur le corps. Dans les régions humides, comme les plis des aisselles et de l'aine, entre les fesses et sous les seins, on observe peu ou pas de squames, et les plaques sont rouges et leur contour bien défini. En revanche, les paumes des mains et les plantes des pieds ont tendance à être squameuses, car à ces endroits-là, la peau est beaucoup plus épaisse. La rougeur des plaques est beaucoup moins prononcée. Chez la plupart des gens, les plaques sont grandes et mesurent plusieurs centimètres de large. Il arrive parfois que certaines personnes présentent plusieurs lésions beaucoup plus petites, de 1 cm tout au plus.

Le psoriasis en gouttes

En général, le psoriasis en gouttes touche les enfants ou les adolescents et survient à la suite d'une angine ou d'une amygdalite causées par une infection streptococcique. De 7 à 14 jours plus tard, l'angine est suivie par l'apparition soudaine de plaques psoriasiques localisées sur tout le corps, en particulier sur le tronc et les membres. Les plaques sont petites et mesurent en général moins de 1 cm de diamètre. La démangeaison est légère ou absente. Ce type de psoriasis ayant un excellent pronostic, il se résorbe normalement au bout de quelques semaines ou de quelques mois grâce à des traitements topiques. Un traitement bref à la lumière ultraviolette s'avère aussi bénéfique.

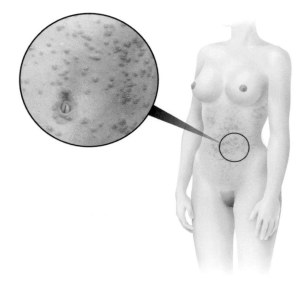

Le psoriasis en gouttes est caractérisé par l'apparition soudaine de plaques psoriasiques minuscules, parfois sur tout le corps, quoique plus particulièrement sur le tronc et les membres.

Le psoriasis pustuleux

Le psoriasis pustuleux se manifeste en général par une zone rougie étendue et la présence de pustules (cloques) molles et verdâtres, de 1 à 4 mm de diamètre. Malgré leur teinte, les pustules ne sont pas infectées. La coloration verte est causée par les accumulations de globules blancs appelés leucocytes polymorphes. Ces cellules migrent vers toute zone de peau enflammée ou altérée. Au bout de 7 à 10 jours, les pustules se résorbent et une squame brune apparaît. Cette squame se détache à mesure que d'autres pustules se forment ailleurs, souvent selon un cycle ininterrompu.

La forme la plus fréquente de psoriasis pustuleux se manifeste sur la paume des mains et la plante des pieds.

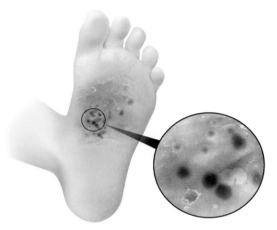

Le psoriasis pustuleux se manifeste en général par une zone étendue et rougie, couverte de pustules molles et verdâtres mesurant de 1 à 4 mm de diamètre.

Contrairement à l'eczéma qui affecte ces zones, le psoriasis s'accompagne de douleurs plutôt que de démangeaisons. Incommodant et inesthétique, le psoriasis pustuleux rend l'écriture et la marche difficiles.

Une forme moins fréquente de psoriasis pustuleux se manifeste par des plaques qui se couvrent de cloques. Bien que cette affection puisse se produire de manière spontanée, le plus souvent, elle fait suite à un emploi prolongé de traitements par corticostéroïdes topiques puissants.

La forme la plus grave – et heureusement la plus rare – est le psoriasis pustuleux généralisé. Le patient est malade et a de la fièvre. En outre, des pustules minuscules apparaissent soudainement sur toute la surface de la peau, d'abord sur le haut du tronc, puis sur tout le corps, en quelques heures ou jours. Cette maladie nécessite une hospitalisation. Le psoriasis pustuleux généralisé se manifeste chez des patients déjà atteints de psoriasis, mais il peut à l'occasion toucher des personnes non affectées par cette maladie. La modification des pustules est parfois induite par une application abusive de corticostéroïdes topiques puissants.

Le psoriasis érythrodermique

Cette forme de psoriasis est heureusement rare, car elle peut être grave au point de mettre en danger la vie des personnes âgées. Ce psoriasis peut survenir chez des personnes qui n'ont aucun antécédent de cette maladie. Chez les patients atteints de psoriasis érythrodermique, la peau rougit, s'échauffe et se desquame en permanence. Le corps n'est plus en mesure de contrôler sa température et perd sa chaleur, ses liquides corporels et ses protéines. Un traitement effectué en milieu hospitalier peut s'avérer nécessaire et inclut des mesures d'appoint telles qu'une perfusion intraveineuse destinée à remplacer la perte de liquides corporels, et application de produits calmants et de crèmes stéroïdes faibles. Il est possible d'en guérir complètement, mais le pronostic dépend de la gravité de l'affection, de la santé générale du patient et de la rapidité avec laquelle celui-ci est pris en charge.

Le napkin psoriasis (psoriasis des langes)

Le psoriasis est rare chez les nourrissons. Pour la plupart, les éruptions cutanées présentes au niveau des couches sont causées par l'eczéma, par un champignon appelé *Candida* (candidose ou muguet) ou par l'effet irritant de l'urine. Il arrive cependant qu'une éruption au contour bien défini survienne et ressemble à du psoriasis. Par ailleurs, certains nourrissons peuvent développer un psoriasis en plaques sur les coudes et les genoux. Le napkin

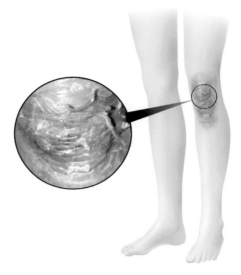

Dans le psoriasis érythrodermique, la peau devient rouge, s'échauffe et se desquame en permanence. Le patient n'est plus en mesure de contrôler sa température corporelle et le corps perd sa chaleur, ses liquides corporels et ses protéines.

psoriasis est d'abord traité à l'aide d'une crème antifongique ou de l'association d'un antifongique et d'un stéroïde. La probabilité que le nourrisson soit atteint de psoriasis à un âge subséquent est accrue, quoique non systématique, et il faut en parler à un spécialiste.

Le psoriasis linéaire

La plupart des formes de psoriasis sont symétriques et étendues. À de très rares occasions, il arrive que le patient présente des plaques rouges et des squames blanches disposées en ligne le long d'un membre ou parfois sur le tronc. Il faut distinguer ce type de psoriasis linéaire d'autres éruptions linéaires telles qu'un nævus (envie ou grain de beauté) ou une forme inhabituelle d'eczéma.

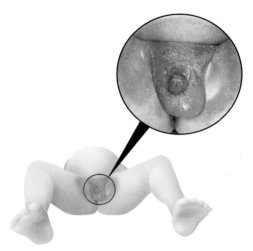

Le psoriasis est rare chez les nourrissons, mais il survient parfois
une éruption rouge au contour précis, qu'on appelle napkin psoriasis
(psoriasis des langes).

En général, une biopsie analysée au microscope dévoilera
les modifications typiques liées au psoriasis. Traitement et
pronostic sont identiques à ceux du psoriasis en plaques.

Les différentes localisations
du psoriasis en plaques
Cuir chevelu

Le psoriasis siège très fréquemment sur le cuir chevelu
et il pourrait même être la seule zone touchée. À cet
endroit, le psoriasis se manifeste sous forme de lésions
au contour bien défini, qui sont rouges, squameuses et
souvent bosselées. La chevelure n'est pas affectée. Le
psoriasis du cuir chevelu est assez différent de la dermatite séborrhéique qui présente des squames beaucoup
plus dispersées, pas de petites bosses ni de contour
précis. En outre, le psoriasis déborde souvent largement

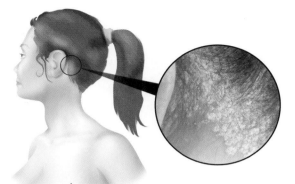

Le cuir chevelu est un siège très fréquent de psoriasis
qui consiste alors en lésions rouges, squameuses,
souvent bosselées, et au contour précis.

la limite des cheveux. Il arrive qu'à son déclenchement, le psoriasis ressemble à une dermatite séborrhéique avant d'évoluer vers une forme de psoriasis plus typique.

Le traitement d'un psoriasis du cuir chevelu inclut des préparations huileuses qui renferment 3 % d'acide salicylique destiné à réduire les squames. On applique ces préparations sur le cuir chevelu trois fois par semaine, puis, après un délai de quatre à six heures, on rince avec un shampooing au goudron. Un produit combinant acide salicylique et goudron pourrait aussi suffire. Des dérivés de la vitamine D peuvent aussi s'avérer utiles. On peut obtenir de bons résultats à court terme en appliquant des produits stéroïdiens, mais ceux-ci ne sont pas aussi efficaces à long terme.

Plis cutanés

Le psoriasis peut survenir dans les plis cutanés, tels que les aisselles, le dessous des seins, l'aine, entre les fesses et

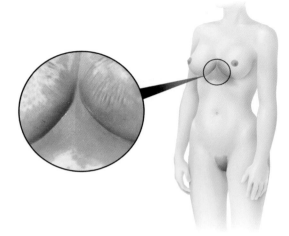

Le psoriasis survient souvent aux plis de la peau, comme aux aisselles, sous les seins, entre les fesses et dans la région génitale.

aux parties génitales. Ces zones étant très humides, les plaques se desquament et rougissent, tout en ayant un contour précis. Le psoriasis peut être douloureux, surtout quand la personne fait des mouvements.

Le traitement consiste en l'association de crèmes anti-fongiques et stéroïdiennes. Le pronostic est le même que pour le psoriasis en plaques, bien que le psoriasis des plis soit particulièrement rebelle au traitement parce qu'il est difficile de garder les crèmes en place sans qu'elles soient éliminées par friction. En outre, l'irritation constante due au frottement se produisant dans les plis de la peau (sous une poitrine volumineuse, par exemple) rend la guérison de la peau difficile.

Paume des mains et plante des pieds

Sur la paume des mains ou la plante des pieds, les lésions sont moins rouges et les squames sont plus épaisses et adhèrent davantage que dans un psoriasis

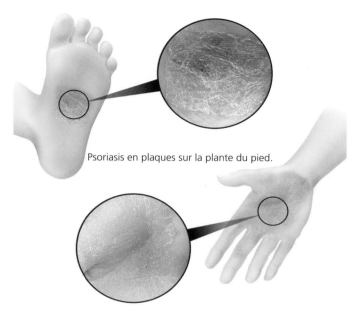

Psoriasis en plaques sur la plante du pied.

Psoriasis en plaques sur la paume de la main.

en plaques localisé ailleurs sur le corps, où les squames sont plus fines et se détachent plus facilement. Il arrive que la surface de la peau soit crevassée. Si le bout des doigts est touché, l'affection peut se révéler assez douloureuse. Le traitement implique des hydratants et des crèmes stéroïdiennes, ou des analogues de la vitamine D appliqués localement. On note cependant les mêmes problèmes que dans le psoriasis des plis, problèmes qui retardent une amélioration de l'état de la peau.

Bouche

Le psoriasis ne touche pour ainsi dire jamais la muqueuse buccale (membrane qui tapisse l'intérieur de la bouche). Toutefois, dans des cas graves, la langue peut être affectée et le psoriasis dessine un schéma caractéristique

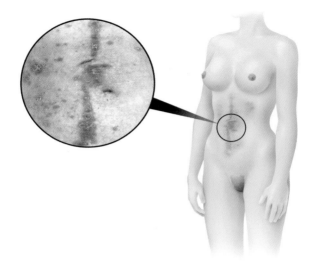

Psoriasis en plaques dû au phénomène de Köbner : il survient sur une peau blessée, le plus souvent sous la forme d'une ligne le long d'une cicatrice chirurgicale ou d'égratignures.

appelé « langue géographique » qui ne s'accompagne en général d'aucun symptôme. Une langue géographique s'observe souvent chez des personnes ne souffrant d'aucune affection cutanée, mais on peut aussi la voir dans le cas de psoriasis pustuleux généralisé.

Psoriasis causé par le phénomène de Köbner

Un psoriasis survient parfois sur une peau blessée, le plus souvent sous une forme linéaire, à même une cicatrice chirurgicale ou des égratignures. Il se développe parfois sur les boutons causés par la varicelle. Si d'autres maladies de la peau peuvent aussi être déclenchées ainsi, le cas est particulièrement fréquent pour le psoriasis. Une fois réapparue, la rougeur a le même aspect qu'auparavant, mais elle reste disposée en lignes bien que les lésions puissent s'agrandir et ressembler à du psoriasis

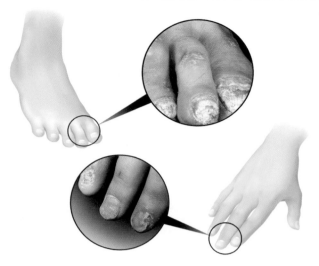

Les ongles des mains ou des pieds sont souvent touchés
par le psoriasis.

en plaques, surtout à la suite de la varicelle. Le psoriasis
causé par le phénomène de Köbner peut être associé
au psoriasis plus conventionnel qui atteint les zones
habituelles.

Ongles

Le psoriasis touche fréquemment les ongles des doigts
et des orteils. Les ongles peuvent présenter des petits
trous ou commencer à se décoller de leur lit (ce qu'on
appelle l'onycholyse). En cas d'onycholyse, l'ongle revêt
un aspect blanchâtre. Il est possible d'avoir les ongles
troués ou détachés de leur lit sans être nécessairement
atteint de psoriasis; toutefois, si on observe les deux
symptômes à la fois, le psoriasis est sans doute mis en
cause. Si l'ongle est gravement endommagé, il devien-
dra friable. Il importe d'exclure l'éventualité d'une
teigne en prélevant des échantillons d'ongle.

Si vous souffrez de psoriasis des ongles, vous pourriez remarquer que vos ongles poussent à un rythme plus rapide que d'ordinaire. Bien que le traitement de ce type de psoriasis soit extrêmement difficile, des soins appropriés chez un manucure professionnel aident à masquer l'apparence de vos ongles.

POINTS CLÉS

- Le psoriasis est intermittent.

- Chez les personnes âgées, on le confond souvent avec l'eczéma.

- Le visage n'est pas souvent touché.

- Le psoriasis en gouttes peut succéder à une angine ou une amygdalite streptococciques.

- L'aspect du psoriasis dépend de la localisation de ses plaques.

Les traitements disponibles

Ce ne sont pas toutes les personnes atteintes de psoriasis qui souhaitent avoir recours à un traitement. En effet, une fois que vous savez ce qu'est le psoriasis, vous risquez de vous contenter de vivre avec la poussée occasionnelle de quelques lésions sur les coudes et les genoux et de vous soigner vous-même au moyen de thérapies alternatives. Vous pouvez vous procurer à votre convenance des préparations pour la peau, offertes en vente libre à la pharmacie. Cette façon de faire est acceptable une fois le diagnostic établi et s'il vous convient d'appliquer le traitement vous-même.

Des traitements plus puissants ne s'obtiennent toutefois que sur ordonnance. Certains de ces médicaments ne sont pas prescrits par un médecin généraliste, mais bien par un spécialiste de la peau (dermatologiste ou dermatologue). Une fois le traitement entamé, votre médecin généraliste pourrait peut-être faire le suivi. Les traitements qui ne sont offerts qu'en milieu hospitalier sont en général systémiques (ou généraux), c'est-à-dire qu'ils n'agissent pas seulement sur la peau, mais sur le corps dans son ensemble.

Dans ce chapitre, les traitements seront abordés selon la classification suivante.

- Se soigner soi-même : thérapies alternatives.
- Traitements en vente libre : crèmes et onguents (pommades) en vente libre dans les pharmacies.
- Médicaments vendus sur ordonnance : traitements topiques (appliqués sur la peau ou le cuir chevelu) prescrits par un médecin généraliste ou un dermatologue.
- Traitements en milieu hospitalier : traitements systémiques, à savoir médicaments pris par voie orale ou traitements qui touchent le corps dans son ensemble (par exemple, traitements aux rayons) généralement prescrits par un dermatologue.

Se soigner soi-même
Thérapies alternatives

Nombre de personnes psoriasiques ont recours à des thérapies alternatives, soit parce qu'un traitement conventionnel n'a aucun effet sur leur psoriasis, soit parce qu'elles sont inquiètes des effets secondaires liés aux traitements qu'elles ont utilisés. Sans aucun doute, les traitements alternatifs tels que l'acupuncture, l'homéopathie et la thérapie énergétique peuvent aider certaines personnes. Les thérapies de relaxation comme le yoga sont utiles si le stress s'avère un facteur déclenchant les poussées de psoriasis. Nous ne connaissons pas le mode de fonctionnement de toutes les thérapies alternatives. En réalité, certaines d'entre elles peuvent se révéler utiles par le simple fait que la personne croit qu'elles le seront (ce qu'on appelle l'effet placebo). Il faut garder en tête que les thérapies alternatives ne sont

Traitements contre le psoriasis

Se soigner soi-même
- Thérapies alternatives
- Traitements en vente libre
- Hydratants
- Produits au goudron
- Corticostéroïdes topiques très faibles
- Produits à l'acide salicylique

Médicaments vendus sur ordonnance, prescrits par un médecin généraliste ou un dermatologue
- Hydratants : pourraient être moins coûteux sur ordonnance qu'en vente libre
- Corticostéroïdes topiques
- Produits au goudron
- Produits à l'acide salicylique
- Produits à l'anthraline
- Rétinoïdes topiques
- Analogues de la vitamine D
- Onguent au calcipotriol et à la béthaméthasone

Traitements en milieu hospitalier
- Régime d'Ingram
- Puvathérapie – traitement systémique
- Méthotrexate – traitement systémique
- Ciclosporine A – traitement systémique

pas toutes sans effets secondaires. Par exemple, les produits de phytothérapie, comme les médicaments à base de plantes médicinales chinoises, ne répondent à aucune norme et risquent de causer des effets secondaires, notamment des dommages au foie. Si vous envisagez d'avoir recours aux thérapies alternatives pour traiter votre psoriasis, veillez à consulter un thérapeute qualifié.

Traitements en vente libre
Hydratants (émollients)

Ces produits sont en vente libre dans de nombreux magasins, notamment les supermarchés et pharmacies. Si vous en avez besoin en grande quantité, il pourrait revenir moins cher de demander à votre médecin de vous les prescrire.

Un emploi régulier d'émollients aide à soulager les démangeaisons et la prolifération des squames présentes dans le psoriasis. Les émollients adoucissent, apaisent et hydratent la peau, tout en lui préservant son humidité. Leurs effets ayant tendance à être de courte durée, il faut en appliquer régulièrement, à peu près trois fois par jour. Les hydratants légers, tels que les crèmes aqueuses, sont les plus faciles d'emploi, mais les préparations plus grasses peuvent s'avérer nécessaires sur une peau très sèche ou sur des zones où la crème s'enlève facilement, sur la plante des pieds, par exemple.

Les émollients en vente libre sont notamment :

- de l'huile de bain contenant de l'huile de soja;
- des crèmes contenant de la paraffine liquide et de la paraffine blanche molle;
- des crèmes contenant de la glycérine;
- des crèmes contenant de l'urée qui réduit les squames;
- des onguents (gras) contenant un agent émulsifiant.

Chez de nombreuses personnes psoriasiques, les squames argentées et soulevées constituent l'aspect le plus
gênant de leur affection, puisque ces squames sont
très visibles sur les vêtements et les tapis. Si un émol-
lient simple peut faire disparaître les squames, il ne sup-
primera pas les plaques qui demeureront rouges. Vous
pouvez appliquer les émollients directement sur votre
peau (crèmes et onguents), les ajouter à un bain (huiles)
ou les employer sous la douche (gels). Ils sont tous d'un

emploi sécuritaire à long terme et n'entraînent en général aucun effet secondaire. Dans de très rares cas, toutefois, vous pourriez être sensible à l'un des ingrédients (en particulier la lanoline) et vous devrez changer de crème s'il se produit une irritation.

Produits au goudron

Il existe un grand nombre de crèmes, onguents, produits pour le bain et solutions pour le cuir chevelu qui renferment du goudron de houille. Ces produits réduisent la présence de squames et l'inflammation. Ils inhibent la synthèse de l'ADN nécessaire à la multiplication cellulaire et réduisent ainsi le renouvellement trop rapide des cellules cutanées.

Les produits au goudron sont en vente depuis de nombreuses années. À leurs débuts, on ne pouvait pas utiliser ces préparations sur le visage, car elles causaient une irritation et beaucoup de gens n'aimaient pas leur odeur forte caractéristique. Les produits récents ont cependant une odeur plus atténuée et on peut les utiliser sur toutes les parties du corps. Des bains au goudron de houille peuvent être très apaisants chez les personnes souffrant d'un psoriasis étendu et ils entrent dans le régime d'Ingram (voir p. 46).

La plupart des produits au goudron de houille sont offerts en vente libre. Toutefois, avant d'y avoir recours, vous devriez discuter avec votre médecin ou votre dermatologue de leur place dans le traitement de votre psoriasis. Il ne faut pas utiliser le goudron dans le cas de psoriasis douloureux ou pustuleux, car il causerait une irritation grave. D'autres effets secondaires sont notamment une éruption de boutons semblable à de l'acné et une coloration de la peau, des cheveux et des étoffes.

Corticostéroïdes topiques faibles (crèmes et onguents stéroïdes)

Des corticostéroïdes topiques faibles (préparations stéroï-diennes appliquées sur la peau) sont offerts en vente libre. Ces préparations existent sous forme de crèmes ou d'onguents et renferment jusqu'à 1 % d'hydrocortisone, le type de corticostéroïde le moins puissant habituelle-ment prescrit par les médecins. Les crèmes stéroïdes faibles risquent de n'avoir que peu d'effets sur un psoria-sis mais elles ont certains inconvénients; il n'est donc pas vraiment conseillé de se les procurer en vente libre. Pour de plus amples informations sur les corticostéroïdes topiques, voir « Médicaments vendus sur ordonnance » ci-dessous.

Acide salicylique

Ingrédient actif de l'aspirine, l'acide salicylique aide à l'élimination des squames. On peut l'associer à des crèmes renfermant du goudron, de l'anthraline, ou bien à la fois du goudron et de l'anthraline. Bien que ces crèmes causent très peu d'effets secondaires, elles risquent d'irriter ou d'assécher la peau.

Médicaments vendus sur ordonnance
Corticostéroïdes topiques

Ces crèmes, onguents et lotions stéroïdes s'appliquent sur la peau au lieu d'être pris par voie orale sous forme de comprimés. Ils jouent un rôle crucial dans le traite-ment du psoriasis parce qu'ils contribuent à réduire l'in-flammation. Vous pouvez vous procurer des stéroïdes faibles en vente libre (voir la section précédente), mais avant d'y avoir recours, il est préférable de consulter un médecin, car ils peuvent causer des effets secondaires.

Dans le cas de plaques psoriasiques épaisses, on aura besoin de corticostéroïdes assez puissants pour obtenir un résultat. Ces médicaments se contentent toutefois de « blanchir » les plaques sans les éliminer complètement. En cas d'usage continu de corticostéroïdes topiques, il peut se produire un effet rebond : les plaques vont empirer et peut-être même se transformer en psoriasis pustuleux. S'il se prolonge durant des mois, l'usage de préparations corticostéroïdes puissantes peut entraîner un amincissement définitif de la peau, voire des cicatrices appelées vergetures. Il ne faut absolument pas utiliser de corticostéroïdes puissants sur le visage, dans les plis ou la région génitale.

Si on utilise des corticostéroïdes puissants sur une zone étendue du corps sur une durée prolongée, de grandes quantités de ces médicaments risquent d'être absorbées par l'organisme et lui causer des effets secondaires graves, notamment l'hypertension artérielle, le diabète, l'amincissement des os (ostéoporose) et le syndrome de Cushing (une affection entraînant un gain de poids, un faciès lunaire et de l'acné). Ces réactions sont heureusement très rares et les corticostéroïdes puissants ne sont pas prescrits pour soigner des zones étendues du corps pour une durée prolongée.

Un usage prolongé de stéroïdes topiques puissants entraîne un autre problème : au bout d'un certain temps, les médicaments perdent de leur efficacité. L'organisme s'habitue à la force de la crème et il en réclame une plus puissante pour arriver au même résultat, ce qu'on appelle la tachyphylaxie. Il faut alors cesser le traitement pour que le médicament retrouve sa pleine efficacité.

Les corticostéroïdes topiques sont effectivement très bénéfiques pour le psoriasis et des produits plus faibles, tels l'hydrocortisone, peuvent être employés sur le visage, les plis et la région génitale en risquant peu d'endommager la peau. Les stéroïdes plus faibles sont efficaces sur ces zones, car les plaques y sont en général assez minces. Par ailleurs, le corticostéroïde est bien absorbé par la peau, puisque l'humidité y est plus grande.

Les corticostéroïdes puissants étant assez bien tolérés sur le cuir chevelu sans craindre d'amincissement de la peau, ils sont utiles dans le cas de psoriasis léger du cuir chevelu. Toutefois, si les plaques sont soulevées et bosselées, il faudra d'abord les amincir par d'autres moyens pour donner une chance aux corticostéroïdes d'être efficaces.

Analogues de la vitamine D

Ces médicaments revêtent une importance capitale dans le traitement du psoriasis. En vente uniquement sur ordonnance, ils se vendent sous forme de crème, d'onguent ou de solution pour le cuir chevelu au calcipotriol, ainsi que d'onguent au tacalcitol.

Les analogues de la vitamine D s'avèrent le traitement de choix contre le psoriasis en plaques. En général, environ un tiers des patients répond par un blanchiment presque complet, un tiers en tire certains bénéfices et un tiers ne voit guère d'amélioration. Les analogues agissent entre autres en favorisant une division plus normale des cellules épidermiques (kératinocytes) et par conséquent une production de kératine normale. Assez sécuritaires, ces traitements peuvent s'employer chez les enfants. Contrairement aux corticostéroïdes topiques, ils ne causent pas un amincissement de la peau.

Si on emploie des quantités excessives d'analogues de la vitamine D sur un psoriasis très étendu, une certaine quantité pourrait y être absorbée par la peau.

Corticostéroïdes topiques

En vente libre

Faible (convient à tous les âges et sur toutes les zones du corps)

- Hydrocortisone à 1 %

Vendus sur ordonnance

Modérés (encore relativement sécuritaires et employés sur toutes les zones du corps, mais il vaut mieux les éviter sur le visage des enfants, sauf pour des poussées de courte durée)

- Butyrate de clobétasone à 0,05 %
- Flurandrénolide à 0,0125 %

Puissants (risquent d'amincir la peau; à éviter autant que possible chez les enfants et ne pas les employer sur le visage; relativement sécuritaires pour un psoriasis du cuir chevelu d'intensité légère)

- Valérate de béthaméthasone à 0,1 % ou 0,025 %
- Butyrate d'hydrocortisone
- Furoate de mométasone à 0,1 %
- Propionate de fluticasone à 0,05 %
- Dipropionate de béclométhasone à 0,025 %
- Dipropionate de bétaméthasone à 0,05 %
- Budésonide à 0,025 %
- Acétonide de fluocinolone à 0,025 %

Très puissants (à utiliser avec grande précaution; n'employer que pour des poussées brèves et presque jamais sur le visage; devraient être complètement évités chez les enfants)

- Propionate de clobétasol à 0,05 %

Ce problème peut augmenter le taux de calcium sanguin, ce qui peut endommager les reins et engendrer des problèmes considérables. Toutefois, en vous limitant à 100 g de calcipotriol à 50 µg, soit le dosage hebdomadaire habituellement prescrit, vous ne devriez pas avoir de problème. Les analogues de la vitamine D pouvant causer une irritation, il ne faut pas en mettre dans les yeux. En outre, utilisez-les avec parcimonie dans les plis de la peau ainsi que sur les organes génitaux où la peau est plus délicate.

Onguent au calcipotriol et au corticostéroïde

Cet onguent associe le calcipotriol, un analogue de la vitamine D, et un corticostéroïde puissant. Les deux ingrédients rehaussant mutuellement leur action, leur efficacité est meilleure que si on les administre seuls. Ce traitement est appliqué deux fois par jour pendant quatre semaines, après quoi, il faut l'interrompre pour éviter un amincissement de la peau engendré par le stéroïde. On peut le réutiliser par la suite, mais seulement après un délai de quatre semaines. S'il s'avère efficace pour la majorité des patients, chez certaines personnes, on assiste assez rapidement à des poussées, ce qui en limite les bienfaits pour elles. Après l'emploi de cet onguent, on doit appliquer un analogue de la vitamine D sur les lésions résiduelles ou au premier symptôme d'une poussée. Bien souvent, cela ne suffit toutefois pas à contrer la flambée de psoriasis.

Anthraline en application de courte durée

L'anthraline, aussi appelée dithranol, est un agent synthétique extrêmement efficace en vente seulement sur ordonnance et qui entre dans la composition de

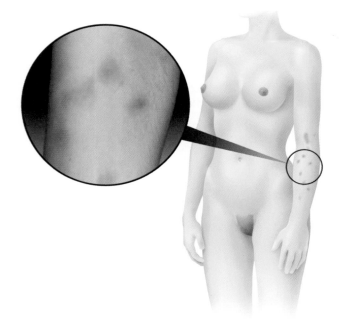

L'anthraline s'avère très efficace dans le traitement du psoriasis en plaques chronique. Elle risque toutefois de brûler et d'irriter une peau saine et de donner à la peau une coloration brun violacé.

divers produits. Elle s'avère très efficace dans le traitement du psoriasis en plaques chronique. Elle agit en inhibant la synthèse de l'ADN, ce qui empêche le renouvellement trop rapide des cellules. Les principaux soucis avec l'anthraline, c'est qu'elle a tendance à brûler et à irriter une peau saine et qu'elle peut donner à la peau une coloration brun violacé.

Il y a presque 25 ans, on a découvert qu'il n'était pas nécessaire de laisser l'anthraline sur la peau pendant 24 heures comme on le croyait auparavant, mais qu'on pouvait la retirer au bout de 10 à 30 minutes et en obtenir malgré tout un bénéfice, tout en réduisant considérablement le risque de coloration et d'irritation de la peau. Cette application d'anthraline de courte durée peut être effectuée à domicile par des patients très motivés, sous la surveillance de leur médecin généraliste.

Le produit requis pour une application d'anthraline de courte durée est offert en cinq concentrations : 0,1 %; 0,25 %; 0,5 %; 1 % et 2 %. Les patients doivent débuter par la concentration la plus faible et augmenter celle-ci tous les deux ou trois jours, sauf s'il se produit une irritation ou de la douleur. Même si l'anthraline n'est en contact avec la peau que pendant 30 minutes (le temps d'application habituel), elle tachera les vêtements de façon permanente et il faut éviter tout contact avec les tissus d'ameublement. Quand on la rince pour l'éliminer de la peau, l'anthraline a tendance à tacher la baignoire ou la douche qui devraient être nettoyées sur-le-champ.

Utilisée convenablement et avec précaution, l'anthraline s'avère bénéfique chez environ deux tiers des patients, qui constatent souvent une rémission pouvant durer plusieurs mois. Même si le régime d'Ingram (voir « Traitements en milieu hospitalier », page 46) donne des résultats plus complets et plus concrets, l'application de courte durée permet aux gens de profiter des bienfaits de l'anthraline à domicile. On a remarqué que dans le régime d'Ingram, on peut éliminer la pâte d'anthraline au bout de 2 heures et obtenir les mêmes résultats qu'en la laissant 24 heures.

Rétinoïdes topiques

Les crèmes de rétinoïdes topiques sont des dérivés de la vitamine A. Les rétinoïdes oraux (décrits dans la section « Traitements en milieu hospitalier ») sont plus puissants et plus efficaces que les crèmes, mais ils engendrent aussi beaucoup d'effets secondaires. Les rétinoïdes topiques agissent en encourageant les cellules de la peau à se développer complètement au lieu de se diviser trop rapidement et de produire les cellules cutanées non parvenues à maturité qui formeront les plaques. L'effet secondaire principal est l'apparition de rougeur et une peau qui pèlera plusieurs jours après l'application de la crème. Cet inconvénient se règle habituellement avec le temps.

Le seul rétinoïde topique employé contre le psoriasis est le tazarotène. On s'en sert dans le cas de psoriasis léger à modéré couvrant moins de 10 % de la surface du corps. Une multitude de rétinoïdes sont également utilisés pour un usage topique dans le cas d'acné et de divers troubles de desquamation.

Traitements en milieu hospitalier (services de dermatologie)

Si votre psoriasis s'avère difficile à soigner au moyen des traitements standards (comme ceux qui ont été décrits précédemment), votre médecin généraliste pourrait vous diriger vers un dermatologue. Il existe aussi certains cas très rares de psoriasis très sévère qui nécessitent une hospitalisation d'urgence. Le traitement spécifique qu'on vous administrera dépendra du type et de la sévérité de votre psoriasis et de ce que vous avez déjà essayé.

Anthraline (dithranol) dans le régime d'Ingram

L'application d'anthraline de courte durée a déjà été décrite dans la section précédente. L'anthraline est devenue le traitement standard administré dans les services de dermatologie depuis que le professeur Ingram a décrit sa méthode en 1953. Dans de nombreux centres hospitaliers, on l'administre en clinique externe alors que dans d'autres centres médicaux, les patients doivent être hospitalisés pour y recevoir le traitement. Dans le régime d'Ingram, le patient prend d'abord un bain tiède renfermant une solution de goudron de houille à une concentration de 1 pour 800. Après s'être séché, le patient est exposé à des rayons ultraviolets UVB qui feront rougir la peau légèrement. On applique ensuite sur les plaques de l'anthraline et on recouvre avec du talc et des pansements de gaze pour protéger la peau saine. On répète le processus tous les jours.

En clinique externe, le patient reçoit un traitement cinq jours par semaine alors qu'un patient hospitalisé est probablement traité sept jours par semaine. Environ 85 % des patients voient leur psoriasis blanchi au bout de 20 traitements et chez certaines personnes, la peau blanchit beaucoup plus vite. On peut répéter les traitements au besoin, mais l'exposition aux rayons UVB doit être limitée afin d'éviter une augmentation du risque de cancer de la peau.

L'avantage de l'anthraline par rapport à beaucoup d'autres traitements, c'est qu'elle a été amplement expérimentée et éprouvée, et qu'elle est très sécuritaire. Une fois le psoriasis blanchi grâce à l'anthraline, le patient peut en être débarrassé pendant une période allant de quatre à six mois avant que les plaques ne réapparaissent progressivement. La rémission peut parfois durer entre un et deux ans.

L'anthraline a comme inconvénients de nécessiter beaucoup de temps et d'être très salissante. Selon le métier qu'elles exercent, certaines personnes trouvent qu'il est difficile de poursuivre leur activité professionnelle pendant qu'elles utilisent de l'anthraline.

Le patient prend un bain tiède contenant une solution de goudron de houille, à une concentration de 1 pour 800.

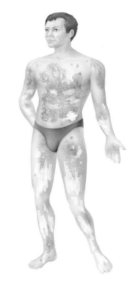

Après s'être séché, le patient s'expose aux rayons ultraviolets UVB afin de faire rougir un peu sa peau.

On applique de l'anthraline sur les plaques qui sont ensuite recouvertes de talc et de gaze afin de protéger la peau alentour.

Le régime d'Ingram

Par exemple, dans des métiers manuels, la transpiration peut faire couler l'anthraline sur la peau saine et causer de la douleur. L'anthraline peut aussi causer un problème chez les personnes qui portent un complet ou un tailleur pour travailler.

L'anthraline entraîne deux effets indésirables principaux qui ne sont ni l'un ni l'autre sérieux, mais qui en limitent l'usage. L'anthraline peut tacher les plaques en plus d'irriter et de tacher la peau alentour. La coloration brun violacé de la peau a tendance à peler au bout de quelques jours, mais les taches sur les vêtements, les sanitaires et les autres objets touchés par la peau risquent d'être permanentes.

On peut contrôler l'irritation et la sensation de brûlure de la peau alentour en débutant par la concentration d'anthraline la plus faible et en augmentant la force tous les un à deux jours. La concentration de départ est normalement d'environ 0,05 % et on l'augmente graduellement jusqu'à 3 à 5 % chez certains patients.

En raison des taches et de la douleur possibles, on a tenté de fabriquer des agents chimiques dotés des mêmes propriétés que l'anthraline, mais sans ses effets indésirables. Ces essais n'ont cependant pas encore été très concluants : les nouveaux produits ont tendance à avoir moins d'effets indésirables, mais ils semblent aussi être moins efficaces. Pour obtenir les bienfaits d'une application d'anthraline de 24 heures, les taches sont inévitables, mais l'irritation et la sensation de brûlure peuvent être minimisées si l'on ajuste avec soin la concentration en fonction de la réponse obtenue.

Lumière ultraviolette

La plupart des patients psoriasiques considèrent que la lumière du soleil améliore leur état. De fait, pour nombre d'entre eux, un ou deux séjours par an dans une région au climat ensoleillé feront des merveilles sur leur peau. Le soleil émet une énergie sous forme de rayons ultra-violets qui sont invisibles à l'œil nu. Selon leur longueur d'onde, mesurée en nanomètres ces rayons se divisent en trois formes : UVA (315 à 400 nm), UVB (280 à 315 nm) et UVC (100 à 280 nm). La majorité des rayons sont des UVA qui possèdent la plus grande longueur d'onde et pénètrent la peau le plus profondément. Les rayons UVB ont une longueur d'onde plus courte et sont plus intenses, mais ils pénètrent la peau moins profondément. Les rayons UVC ont la longueur d'onde la plus courte et se perdent dans l'atmosphère avant d'atteindre la Terre.

Photothérapie aux UVB

Les rayons UVB sont responsables des coups de soleil. Ils ont un effet bénéfique sur le psoriasis et peuvent être produits artificiellement par les lampes à ultraviolets. L'utilisation de ces lampes est appelée photothérapie ou luminothérapie.

La photothérapie aux UVB à large spectre peut s'uti-liser seule, en particulier pour le psoriasis en gouttes. Le traitement est administré en général trois fois par semaine, mais on peut aussi le donner sur une base quotidienne. Néanmoins, la photothérapie aux UVB est le plus souvent associée à l'anthraline dans le cadre du régime d'Ingram, ou au goudron dans le cadre du régime de Goekerman. On peut aussi la combiner aux rétinoïdes oraux (acitrétine) ou aux analogues de la vitamine D topiques (calcipotriol ou tacalcitol).

TL-01 : UV à spectre étroit de 311 nanomètres

Phillips a mis au point des lampes qui semblent plus efficaces pour blanchir le psoriasis que les UVB à large spectre. Ces lampes à spectre étroit s'imposent de plus en plus à mesure que les hôpitaux remplacent leurs appareils à UVB à large spectre. Les lampes UV à spectre étroit peuvent s'utiliser elles aussi en association avec d'autres traitements, tel qu'on l'a décrit dans le paragraphe sur la photothérapie aux UVB.

Le Centre de traitement du psoriasis, situé à la mer Morte, en Israël, rapporte que les trois quarts des patients ont vu leur état s'améliorer d'au moins 90 % au bout de quatre semaines de traitement. Les rayons UVB sont probablement la raison principale de cette amélioration.

Psoralènes et photochimiothérapie aux UVA (PUVA)

Certaines substances chimiques provenant de végétaux (en particulier l'*Amni majus*), appelées psoralènes, semblent avoir un effet bénéfique sur le psoriasis si on les utilise après que la peau a été irradiée par une lumière UVA de grande longueur d'onde. Les psoralènes sont plus efficaces s'ils sont pris par voie orale, mais on peut aussi les appliquer à même la peau ou les administrer dans un bain.

L'association des psoralènes avec les UVA porte le nom de puvathérapie ou photochimiothérapie et est utilisée depuis le milieu des années 1970. La puvathérapie est un traitement extrêmement efficace dans le cas de psoriasis en plaques très étendu. Dans certains centres de soins, le psoralène est administré par voie orale deux heures avant l'exposition aux UVA alors que dans d'autres services, on l'ajoute à un bain pris juste avant l'exposition aux UVA. On compte deux types de psoralènes employés dans la puvathérapie. Certains patients souffrent de nausées après l'absorption de 8-méthoxypsoralène. Si tel est le cas, on peut avoir recours au 5-méthoxypsoralène, qui est tout aussi efficace sans causer cet effet secondaire.

Dans la plupart des centres de soins, le traitement est administré deux fois par semaine. Chez environ 90 % des patients, le psoriasis sera blanchi complètement au bout de 6 à 8 semaines. Au cours du traitement, la peau devient habituellement bronzée. Le blanchiment du psoriasis durera en moyenne de quatre à six mois avant que le psoriasis ne réapparaisse graduellement. Toutefois, chez certains patients, le psoriasis peut revenir tout de suite alors que chez d'autres, il ne récidivera qu'au bout de plusieurs années.

Si la puvathérapie s'avère la plus efficace dans le cas de psoriasis en plaques très étendu, on peut aussi y avoir recours pour traiter le psoriasis pustuleux (généralisé ou palmo-plantaire) et le psoriasis érythrodermique. Dans ces types de psoriasis, toutefois, il existe d'autres traitements qui pourraient s'avérer plus efficaces. La puvathérapie n'a aucun effet sur le cuir chevelu ou les plis cutanés.

Dans beaucoup de centres de soins, on administre un rétinoïde (acitrétine) pendant 10 jours avant la puvathérapie et on poursuit la médication pendant la puvathérapie. On a remarqué qu'en procédant ainsi, on réduit de moitié l'exposition nécessaire aux UVA .

L'effet secondaire immédiat de la puvathérapie étant une brûlure causée par les rayons UVA, on commence le traitement par une dose très faible de rayons, que l'on augmente graduellement. Dans le cas de puvathérapie orale, dans laquelle le patient prend du psoralène par la bouche, on a craint un risque de cataracte. Bien qu'il n'en existe aucune preuve clinique et sachant que certains rapports ont suggéré cette éventualité, on demande à tous les patients de porter des lunettes de protection spéciales dès l'instant où ils prennent le médicament et pendant le reste de la journée. Ils doivent également porter des lunettes de protection spéciales pendant le traitement aux UVA.

La principale préoccupation relative à la puvathérapie est le risque accru de développer un cancer de la peau. S'agissant d'un effet directement lié au dosage, plus on est exposé aux UVA, plus le risque est grand. Par chance, le risque concerne en grande partie le cancer de la peau sans mélanome, plus facile à traiter, et non pas le mélanome lui-même. Les patients qui reçoivent une puvathérapie à dosage élevé (plus de 300 traitements) courent 6 fois plus de risques de développer un cancer que les patients qui reçoivent une puvathérapie à dosage faible (moins de 160 traitements). Les personnes à la peau claire sont deux fois plus à risque d'avoir un cancer de la peau que les personnes à la peau foncée.

Des directives récentes venues de la British Association of Dermatologists et du Royal College of Physicians suggèrent que la puvathérapie maximale administrée au cours d'une vie ne devrait pas dépasser, autant que possible, 1 000 joules par centimètre carré (J/cm^2). Cette mesure correspond à environ 100 traitements de puvathérapie ou à environ 6 à 8 cures. Cependant, chez les patients qui considèrent que la puvathérapie est efficace, une fois qu'ils auront reçu 1 000 J/cm^2 d'énergie provenant des UVA, il faudrait évaluer les risques liés à la poursuite de la puvathérapie ou la possibilité de la remplacer par d'autres traitements qui risquent eux aussi d'avoir des effets secondaires.

Le risque de cancer de la peau semble être plus important sur les organes génitaux masculins; il faut donc les couvrir durant le traitement. Il faut aussi couvrir le visage, sauf s'il est atteint de psoriasis, afin d'éviter le photo-vieillissement de la peau. Il n'est pas prouvé que le psoralène administré dans un bain comporte moins de risques de cancer de la peau, mais dans ce cas, il n'est pas nécessaire de protéger les yeux, car une très petite quantité de psoralène est absorbée. Les rétinoïdes oraux administrés en même temps que la puvathérapie pourraient diminuer le risque de développer un cancer de la peau sans mélanome.

Méthotrexate

Le méthotrexate est un médicament antimitotique (anti-cancéreux) largement utilisé dans le traitement du psoriasis depuis plus de 30 ans. Il inhibe la synthèse de l'ADN, ce qui ralentit le renouvellement des cellules épidermiques. Le méthotrexate agit dans une certaine mesure sur toutes les cellules qui se divisent rapidement, y compris les cellules sanguines. Il importe donc de procéder régulièrement à une numération globulaire afin de s'assurer qu'il n'y a pas d'effets secondaires sur le sang. Le méthotrexate agit aussi sur les anomalies du système immunitaire présentes dans la peau des personnes psoriasiques.

Le méthotrexate est utilisé principalement dans les cas de psoriasis sévère. Il est extrêmement efficace dans le psoriasis en plaques. Il a aussi un rôle à jouer dans le psoriasis érythrodermique, le psoriasis pustuleux généralisé, l'arthrite psoriasique et le psoriasis pustuleux palmo-plantaire.

Le méthotrexate est en général administré par voie orale, mais il peut aussi l'être par injections intramusculaires. Si la dose peut varier de 5 à 25 mg par semaine, elle est habituellement de 10 à 15 mg par semaine. Le méthotrexate est normalement administré en une seule dose hebdomadaire plutôt qu'en plusieurs doses quotidiennes, car les effets secondaires sur le foie (voir ci-dessous) se trouvent réduits si on administre le médicament ainsi.

Effets secondaires du méthotrexate

- **Nausées :** En général, elles ne constituent pas un problème, mais elles peuvent parfois être à l'origine de l'interruption du traitement.

- **Sang :** Le méthotrexate peut entraîner la suppression de la moelle épinière, qui peut engendrer une anémie, des ecchymoses et une incapacité à combattre convenablement les infections. Il faut par conséquent effectuer régulièrement des analyses de sang, une fois par semaine au début, et toutes les 10 à 12 semaines par la suite.

- **Foie :** Le méthotrexate peut causer au foie des dommages potentiellement graves et irréversibles. Toutefois, si on l'administre à faible dose et une fois par semaine, le risque est faible. En outre, si la consommation d'alcool est réduite au minimum, afin de ne pas surcharger le foie (pas plus d'une ou deux consommations par semaine), les dommages au foie sont rares. La fonction hépatique est vérifiée régulièrement par une analyse de sang.

Malheureusement, le méthotrexate peut avoir gravement endommagé le foie avant que les analyses de la fonction hépatique habituelles, effectuées avec le sang, ne révèlent une anomalie, car ces analyses ne sont pas toujours suffisamment sensibles. Par conséquent, dans de nombreux centres de soins, on procède à des biopsies périodiques du foie afin de déceler rapidement tout dommage et de cesser au besoin le traitement au méthotrexate. Une biopsie du foie consiste à insérer une aiguille dans le foie pour prélever un petit échantillon de cellules qui seront examinées au microscope. Beaucoup de centres de soins procéderont à une biopsie du foie avant de commencer un traitement au méthotrexate ou une fois que le psoriasis du patient aura blanchi, puis régulièrement, à des intervalles de quelques années, pendant que le patient est traité au méthotrexate.

Le bien-fondé des biopsies du foie fait l'objet d'un débat. La plupart des centres de soins continuent à effectuer des biopsies sur les patients âgés de moins de 65 ans afin de s'assurer que leur foie n'est pas endommagé. Les rhumatologues, toutefois, prescrivent beaucoup le méthotrexate pour soigner la polyarthrite rhumatoïde et la plupart d'entre eux n'effectuent pas de biopsies du foie. Bien qu'une biopsie du foie soit relativement sécuritaire, il s'agit d'un examen invasif qui peut causer une hémorragie interne, de la douleur et un petit risque d'infection. Cet examen s'effectue sous surveillance par échographie afin de minimiser les complications.

- **PIIINP :** On peut mesurer le propeptide N-terminal du procollagène de type 3 présent dans le sang et des travaux récents suggèrent qu'il constitue un bon indicateur des dommages causés au foie par le méthotrexate. Cette mesure est sans aucun doute plus sensible que les analyses courantes de la fonction hépatique. De nombreux centres de soins s'appuient désormais sur le test PIIINP et n'effectuent de biopsies du foie que chez les patients pour qui le test PIIINP s'avère à plusieurs reprises positif. Il y a peu de risque de dommages hépatiques chez un patient dont le test s'avère à plusieurs reprises normal.

- **Effets sur le fœtus :** Le méthotrexate est tératogène, c'est-à-dire qu'il peut causer des malformations au fœtus si on le prescrit à une femme enceinte. Par conséquent, les femmes ne devraient pas tenter de devenir enceintes pendant qu'elles prennent ce médicament. Les hommes traités au méthotrexate devraient eux aussi faire attention à ne pas procréer, car le médicament peut passer dans le sperme et causer des dommages au fœtus.

- **Fonction rénale :** Le méthotrexate ne cause aucun dommage aux reins, mais il est excrété (éliminé du corps) par eux. Il importe de vérifier la fonction rénale par une analyse de sang au début du traitement. Chez les patients traités au méthotrexate pendant de nombreuses années, il faut absolument effectuer une prise de sang annuelle. La fonction rénale se détériore peu à peu avec l'âge. Si on ne la vérifie pas régulièrement, les taux de méthotrexate sanguins peuvent s'élever et causer davantage d'effets secondaires sur la moelle osseuse et le foie. Il faudra peut-être réduire le dosage de méthotrexate au fil des ans.

- **Interactions médicamenteuses :** Le méthotrexate peut interagir avec d'autres médicaments. Il peut par exemple rendre un autre médicament plus toxique en augmentant le taux de celui-ci dans le sang. C'est le cas en particulier avec l'aspirine et avec d'autres anti-inflammatoires non stéroïdiens. Par conséquent, si vous prenez du méthotrexate, mentionnez-le à votre médecin ou à votre pharmacien, afin qu'il puisse évaluer le risque d'interaction médicamenteuse.

Hydroxyurée

L'hydroxyurée est elle aussi un médicament anticancéreux. Beaucoup moins utilisée que le méthotrexate, elle a pourtant un rôle à jouer dans le traitement du psoriasis, puisqu'elle est moyennement efficace et ne cause aucun dommage au foie. En revanche, l'hydroxyurée semble davantage provoquer une dépression de la moelle épinière; il faut donc effectuer des analyses de sang plus fréquentes qu'avec le méthotrexate. Les patients risquent aussi d'avoir leur numération de globules blancs légèrement réduite. L'hydroxyurée s'utilise de préférence en association avec l'acitrétine, un médicament rétinoïde. Elle s'administre par la bouche, en doses quotidiennes de 0,5 à 1,5 g. Comme avec le méthotrexate, les femmes ne devraient pas devenir enceinte et les hommes ne devraient pas procréer pendant qu'ils prennent de l'hydroxyurée.

Rétinoïdes oraux

Les rétinoïdes sont des médicaments à base de vitamine A qui portent la dénomination chimique de trétinoïne ou isotrétinoïne. L'acitrétine est le principal rétinoïde employé dans le traitement du psoriasis et il s'administre par voie orale, en dose quotidienne de 25 à 30 mg.

Les rétinoïdes agissent de multiples façons sur la peau. Ils favorisent en particulier la différentiation des cellules épithéliales, c'est-à-dire qu'ils encouragent les cellules cutanées présentes dans l'épiderme à parvenir à maturité au lieu d'atteindre la surface de la peau avant d'être complètement formées.

Utilisée seule, l'acitrétine n'est souvent qu'en partie efficace dans le psoriasis en plaques. En revanche, elle est particulièrement efficace dans le psoriasis pustuleux généralisé, le psoriasis érythrodermique, le psoriasis pustuleux palmo-plantaire et dans les formes de psoriasis instables. L'acitrétine est souvent associée à d'autres traitements comme la puvathérapie, la photothérapie UVB ou l'hydroxyurée. On peut aussi la combiner à des traitements topiques tels les analogues de la vitamine D. L'acitrétine peut s'employer chez les enfants.

Effets secondaires des rétinoïdes oraux

- **Généraux :** On observe souvent une peau sèche et des lèvres gercées. Il peut aussi se produire une sécheresse au niveau des yeux et du nez. On remarque parfois une chute des cheveux, qui repoussent après l'arrêt du médicament.

- **Cholestérol et triglycérides :** Les rétinoïdes ont tendance à élever les taux de cholestérol et de triglycérides dans l'organisme, qui devront être vérifiés de temps à autre. Durant un traitement aux rétinoïdes, il serait bon de contrôler votre consommation de produits laitiers afin de réduire le risque d'une augmentation des lipides sanguins.

- **Foie :** À de très rares occasions, l'acitrétine ou les rétinoïdes causent une inflammation du foie (hépatite).

- **Modifications des tissus osseux et mous :** Ces modifications ne s'accompagnant en général d'aucun symptôme, on ne peut les observer que sur une radiographie. Il peut se produire une calcification au niveau du ligament vertébral antérieur. La radiographie peut indiquer d'autres modifications, mais leur signification clinique est douteuse.

- **Tératogénicité :** Les femmes traitées aux rétinoïdes ne doivent pas devenir enceinte durant les deux années qui suivent la fin de leur traitement, car les rétinoïdes peuvent causer des anomalies congénitales. Bien qu'une grande partie de l'acitrétine soit excrétée dans un bref délai, elle peut se lier à la graisse pendant une durée allant jusqu'à deux ans. Si une femme enceinte prend de l'acitrétine, le risque de donner naissance à un enfant atteint de malformations congénitales est extrêmement élevé. Par contre, les hommes peuvent procréer durant un traitement à l'acitrétine.

Ciclosporine A

La ciclosporine est élaborée par un champignon appelé *Tolypocladium inflatum gams*. Ce médicament est un immunosuppresseur utilisé pour contrôler et empêcher le rejet lors de greffes d'organes. À petites doses, la ciclosporine A est très efficace pour maîtriser le psoriasis, en ayant un effet sur les cellules T plutôt qu'en empêchant la division des cellules cutanées et leur renouvellement accéléré. La ciclosporine s'administre par voie orale, en doses d'approximativement 3 à 5 mg par kilo de poids corporel (150 à 400 mg), en deux prises séparées. La ciclosporine A est bien tolérée.

Effets secondaires de la ciclosporine A

- **Pilosité excessive :** Inhabituelle aux faibles doses utilisées.

- **Gencives :** Il peut se produire un épaississement des gencives, qui est toutefois inhabituel aux faibles doses utilisées.

- **Goutte :** La ciclosporine A peut parfois augmenter le taux d'acide urique et engendrer la goutte.

- **Fonction rénale :** Alors même qu'on utilise la ciclosporine A chez les receveurs d'une greffe de rein, elle peut en réalité causer des dommages aux reins. Ce risque doit donc être contrôlé au moyen d'analyses de sang mensuelles. On arrêtera le médicament si certains paramètres spécifiques indiqués par les analyses montrent une altération de la fonction rénale.

- **Hypertension artérielle :** La ciclosporine A pouvant causer une augmentation de la pression artérielle, il faut vérifier celle-ci une fois par mois. L'hypertension n'a rien à voir avec les effets de ce médicament sur les reins. Une légère augmentation de la pression artérielle ne signifie pas qu'on doive arrêter la ciclosporine A; on peut prescrire au besoin un traitement pour réguler la pression artérielle.

- **Emploi prolongé de ciclosporine A :** Un emploi prolongé pouvant mener à des cancers de la peau induits par la lumière ultraviolette, il est particulièrement important de donner aux personnes traitées à la ciclosporine A des conseils sur la protection solaire.

- **Autres remarques :** Si vous prenez de la ciclosporine A, vous devez être prudent quant aux autres médicaments oraux pris en même temps, car il peut se produire une interaction médicamenteuse. Par exemple, les anti-inflammatoires utilisés pour soulager les douleurs peuvent augmenter le taux de ciclosporine sanguin. En effet, les anti-inflammatoires diminuent la capacité des reins à éliminer la ciclosporine de l'organisme. Si vous êtes traité à la ciclosporine, veillez à en aviser les médecins et le pharmacien avant qu'ils ne vous prescrivent ou ne délivrent un autre médicament. Le tacrolimus est similaire à la ciclosporine A. C'est un immunosuppresseur prescrit aux patients greffés ou psoriasiques. Le tacrolimus n'est d'aucune efficacité dans le psoriasis en plaques s'il est employé localement.

Le traitement des différents types de psoriasis

Psoriasis du cuir chevelu

Le traitement d'un psoriasis du cuir chevelu ne s'avère pas toujours aisé. Dans les cas légers, où les plaques ne sont pas bosselées ou très squameuses, un shampooing au goudron pourrait être suffisant. Les corticostéroïdes topiques sont souvent efficaces et le cuir chevelu semble assez bien les tolérer sans que la peau ne s'amincisse trop. Il ne faut cependant pas les utiliser en permanence.

Dans les cas de psoriasis du cuir chevelu plus sévères présentant un grand nombre de lésions bosselées, le traitement s'avère plus difficile. Il faut d'abord supprimer les squames afin d'aplanir les lésions. C'est le rôle des produits à l'acide salicylique, dont il existe de nombreuses concentrations. Ces produits étant souvent combinés au goudron, ils peuvent être d'un usage salissant. Toutefois, si on les fait bien pénétrer dans le cuir chevelu et qu'on les laisse en place longtemps (de préférence pendant plusieurs heures), ils élimineront graduellement toutes les squames, tout en laissant la chevelure intacte. Une autre solution consiste à employer de l'huile d'arachide, qui est inodore et peut être moins salissante. Par la suite, pour empêcher de nouveau l'accumulation squameuse, on a le choix de corticostéroïdes topiques, d'analogues de la vitamine D (solution pour le cuir chevelu au calcipotriol) ou peut-être d'un simple shampooing au goudron. Si la plupart des patients atteints de psoriasis du cuir chevelu sont en mesure de le maîtriser à un stade raisonnable, il est souvent difficile de le blanchir totalement. En général, cette affection n'est toutefois pas suffisamment sévère pour justifier le recours à un traitement systémique impliquant des agents tels que le méthotrexate, les réti-noïdes ou la ciclosporine A. La puvathérapie n'est d'au-cune aide en présence de cheveux.

Psoriasis des ongles
Il n'existe aucun traitement employé localement qui soit efficace contre le psoriasis des ongles. Si un patient est atteint d'un psoriasis suffisamment sévère pour justifier un traitement systémique, alors, les ongles s'amélioreront.

Psoriasis pustuleux
Si le psoriasis pustuleux siège surtout sur la paume des mains et la plante des pieds, il peut parfois survenir sous une forme sévère de psoriasis pustuleux généralisé.

- **Psoriasis pustuleux palmo-plantaire :** Ce psoriasis peut s'avérer très difficile à traiter. Les corticostéroïdes sont inefficaces, sauf si on utilise des produits très puissants, auquel cas il risque de se produire un amin-cissement de la peau. L'anthraline n'est en général d'aucune efficacité, en plus d'être d'un emploi salis-sant sur ces zones-là. Les analogues de la vitamine D ne sont efficaces qu'à l'occasion. Dans des cas légers, l'emploi d'hydratants et l'utilisation ponctuelle d'un corticostéroïde topique puissant ou peut-être d'un analogue de la vitamine D sont les meilleures options de traitement. On peut essayer l'utilisation d'un onguent combinant un analogue de la vitamine D et un corticostéroïde puissant, mais en raison de la force du corticostéroïde, on ne doit utiliser cet onguent que par intermittence. Dans les formes plus sévères, puvathérapie, méthotrexate et ciclosporine A s'avèrent tous bénéfiques. Cependant, on doit évaluer la sévérité de l'affection en regard des effets secondaires possibles de ces agents.

- **Psoriasis pustuleux généralisé :** L'acitrétine, la ciclosporine A, le méthotrexate et à l'occasion la puvathérapie s'avèrent tous efficaces dans cette forme rare de psoriasis.

Traitements nouveaux
Esters d'acide fumarique
Ces agents sont utilisés dans certains pays d'Europe et surtout en Allemagne depuis 25 ans. Leur action cible en partie le processus immunitaire, en partie la prolifération des kératinocytes. Ils semblent être relativement sécuritaires et efficaces.

Mofétilmycophénolate
Ce médicament a été étudié pour son action sur le psoriasis et il semblerait avoir une influence sur le processus immunitaire et la prolifération des kératinocytes. Sachant qu'il peut supprimer la moelle osseuse, il faut procéder régulièrement à des analyses de sang. Il est alors efficace et relativement sécuritaire.

Médicaments biologiques

Il existe désormais un certain nombre de produits qui ont été mis au point et qui font l'objet de nombreuses études. Ces agents s'attaquent aux diverses anomalies immunologiques particulières qu'on a observées dans le psoriasis. Ils bloquent différentes substances chimiques, appelées cytokines, qui sont libérées dans les lésions psoriasiques. Plusieurs d'entre eux sont déjà commercialisés, notamment l'adalimumab, l'etanercept et l'infliximab. Pour la plupart des patients, il existe des traitements topiques et systémiques efficaces dans le psoriasis en plaques. Or, ces traitements biologiques ne sont pas aussi efficaces, puisque la réaction n'est satisfaisante que chez 30 % environ des patients, bien que la réponse soit plus élevée, jusqu'à 80 %, dans le cas de l'infliximab. Celui-ci ne présente pas le taux de réaction le plus élevé, mais à cause de la formation d'anticorps dirigés contre lui, il peut se produire des réactions à son endroit et son effet peut s'en trouver diminué avec le temps, obligeant la prise de doses de plus en plus fortes.

Dans l'arthrite psoriasique, pour laquelle les options de traitement sont beaucoup plus restreintes, les produits biologiques joueront un rôle beaucoup plus clair. Sachant que ce sont de puissants immunosuppresseurs, les infections risquent de poser un problème, sans compter la préoccupation quant aux risques de cancer à long terme. Ces produits sont extrêmement coûteux et sachant qu'ils ne guérissent ni le psoriasis ni l'arthrite psoriasique, il faut poursuivre leur emploi indéfiniment. Ils s'administrent tous par injection. Certains peuvent être administrés par le patient lui-même par injection sous-cutanée (sous la peau) tandis que d'autres nécessitent une visite à l'hôpital pour y recevoir les injections. Ils requièrent tous une surveillance sanguine.

Les médicaments biologiques constituent une avancée intéressante. Leur indication première sera sans doute l'arthrite psoriasique. On pourrait y avoir recours chez les patients atteints de psoriasis en plaques, mais uniquement chez ceux qui n'ont pas réagi aux agents topiques ou systémiques conventionnels ou chez ceux qui ont subi des effets secondaires à la suite de ces traitements.

Le psoriasis à tous les âges

Il peut s'avérer terriblement difficile pour des parents de voir leur enfant souffrir à cause de l'état de sa peau. Tout enfant atteint d'une affection visible de la peau risque de faire l'objet de railleries ou même de harcèlement, et parents et enseignants doivent être particulièrement vigilants à cet égard. Ils doivent aviser les directeurs d'école et les enseignants afin de s'assurer que les élèves et le corps enseignant sachent que le psoriasis n'est pas contagieux. Il est conseillé de faire appel à un groupe de soutien afin de mettre les enfants psoriasiques en contact avec d'autres enfants qui sont dans la même situation. Il est indispensable aussi que l'enfant comprenne sa maladie et ses traitements, et que les explications que vous lui donnez soient adaptées à son âge. Pour ce faire, vous pourriez demander l'aide d'un professionnel spécialisé dans le domaine.

La majorité des enfants psoriasiques réagissent aux médicaments topiques à base de vitamine D, à l'anthraline en application de courte ou longue durée, tous avec ou sans photothérapie aux UVB. La plupart des médecins hésitent toutefois à employer la puvathérapie chez les enfants, car il existe une limite maximale d'exposition aux rayons UVA au cours d'une vie si l'on veut éviter un risque accru de cancer de la peau.

Heureusement, chez les enfants, le psoriasis en plaques est rarement sévère au point qu'il nécessite des traitements systémiques tels que méthotrexate, rétinoïdes et ciclosporine A. Le méthotrexate est très rarement employé chez les enfants en raison du risque accru de dommages au foie associés aux doses cumulatives. Les médecins sont également réticents à avoir recours chez les enfants à des traitements prolongés de corticostéroïdes topiques puissants à cause de leurs effets secondaires, à savoir l'amincissement de la peau et la formation possible de vergetures (stries sur la peau).

Chez les patients âgés, il faut se rappeler qu'on confond souvent eczéma et psoriasis. Il faut aussi être très prudent avec l'emploi d'anthraline, de rétinoïdes topiques ou de médicaments dérivés de la vitamine D, car ils peuvent tous irriter la peau. Les hydratants s'avèrent souvent d'un grand secours et on peut les employer en association avec les onguents corticostéroïdes. Souvent, un corticostéroïde de force faible à modérée conviendra.

Chez les patients âgés atteints de psoriasis étendu, les médecins optent souvent pour le méthotrexate, la puvathérapie, l'hydroxyurée ou la ciclosporine A, surtout si le patient trouve difficile de se rendre à une clinique externe pour recevoir ses traitements sur une base quotidienne.

POINTS CLÉS

- Certaines personnes psoriasiques se contentent d'employer de simples hydratants et ne veulent pas avoir recours à un traitement actif.

- Les analogues de la vitamine D s'avèrent le traitement de choix pour un psoriasis léger à modéré, traité en médecine générale.

- Les corticostéroïdes topiques puissants doivent être employés avec beaucoup de précaution et jamais sur des périodes prolongées.

- L'anthraline constitue le pilier d'un traitement en milieu hospitalier et si elle est utilisée en application de courte durée, elle est moins salissante et cause moins de brûlures que si on la laisse longtemps sur la peau.

- Les lampes TL-01 à UV à spectre étroit s'avèrent d'une efficacité supérieure à la photothérapie aux UVB standards.

- À la suite d'une puvathérapie, le risque de cancer de la peau augmente au bout de six à huit séries de traitements.

- Le méthotrexate est probablement le meilleur traitement systémique contre le psoriasis.

- Le psoriasis pustuleux palmo-plantaire est difficile à traiter.

- Le cuir chevelu peut s'avérer très rebelle au traitement.

Le psoriasis reviendra-t-il ?

Le psoriasis a tendance à être une affection chronique qui va et qui vient. Vous pouvez vivre de longues périodes durant lesquelles vous n'aurez que peu ou pas de problèmes de peau. Le meilleur pronostic concerne une poussée de psoriasis en gouttes causée par une angine ou une amygdalite streptococcique. Un traitement bref par photothérapie aux UVB, combinée ou non à des analogues de la vitamine D, conduit bien souvent à une rémission capable de durer de nombreuses années.

Dans le cas de psoriasis en plaques, le modèle est beaucoup plus variable. Les traitements susceptibles d'induire une rémission – plutôt que de blanchir simplement le psoriasis – sont l'anthraline, la photothérapie aux UVB et la puvathérapie. En ce qui concerne les autres traitements, le psoriasis a tendance à revenir très rapidement. Les corticostéroïdes et les analogues de la vitamine D, par exemple, blanchiront probablement votre psoriasis, mais il y a peu de chances qu'ils induisent une rémission durable.

Certaines personnes, après que leur psoriasis a été complètement blanchi, peuvent rester des mois, voire des années, sans avoir de nouveaux symptômes. Pour d'autres, le psoriasis revient presque immédiatement et nécessite une autre série de traitements. Si leur psoriasis s'avère suffisamment sévère, ces patients ont tendance à avoir besoin d'un traitement systémique continu tel que le méthotrexate, l'hydroxyurée, les rétinoïdes ou la ciclosporine A. Dans une étude menée sur 260 patients, 3 ont vu leur psoriasis disparaître pendant plus de 5 ans à la suite d'un traitement réussi, mais la plupart des patients n'ont vu leur psoriasis blanchi que pour 6 mois au maximum.

En général, le traitement qui a permis une rémission aura le même effet par la suite. Il arrive néanmoins que les traitements perdent de leur efficacité au bout de plusieurs cures. Le cas est particulièrement fréquent avec le régime d'Ingram, qui fait appel à l'anthraline et à la photothérapie aux UVB. Le régime d'Ingram peut s'avérer efficace pendant de nombreuses années en apportant des rémissions de plusieurs mois, puis, soit qu'il arrête brusquement de blanchir le psoriasis, soit que la durée de la rémission raccourcisse de plus en plus, signe qu'il faut commencer un traitement systémique.

POINTS CLÉS

- Le psoriasis a tendance à être une affection chronique, dont la sévérité varie constamment.

- Le succès des traitements varie et peut aller d'une légère élimination du psoriasis à une rémission complète qui dure de nombreuses années.

- En général, le traitement qui a mené à une rémission aura de nouveau le même effet, mais il arrive que les traitements perdent de leur efficacité au bout de plusieurs cures.

Psoriasis, autres maladies et hygiène de vie

L'arthrite psoriasique

Il arrive parfois que les personnes psoriasiques ressentent de la douleur et de l'enflure au niveau des articulations, surtout au bout des doigts et des orteils. Quand psoriasis et arthrite surviennent ensemble, on parle d'arthrite psoriasique ou de rhumatisme psoriasique.

On ne connaît pas la prévalence exacte de l'arthrite psoriasique, car tout dépend de la population de patients psoriasiques étudiés. À l'hôpital (où l'on peut étudier des cas de psoriasis plus sévères), la prévalence de l'arthrite chez les patients psoriasiques est de 6 à 8 % (en comparaison de 0,7 % chez un groupe témoin atteint d'autres maladies de la peau). L'arthrite psoriasique est plus fréquente chez les femmes que chez les hommes et présente un pic de survenue dans le groupe des 40 à 60 ans. Dans 65 % des cas, le psoriasis survient avant l'arthrite, tandis que l'arthrite précède le psoriasis dans 19 % des cas; ils se présentent à peu près simultanément dans 16 % des cas.

L'arthrite psoriasique se présente sous plusieurs formes.

- Vous pouvez remarquer que les petites articulations de vos doigts et de vos orteils sont touchées, surtout si vous souffrez de psoriasis sévère des ongles. Il s'agit de l'arthrite psoriasique classique et typique, qui a tendance à ne survenir que chez les personnes psoriasiques.

- Vous pouvez observer un modèle de polyarthrite rhumatoïde sur vos mains et vos pieds. Une analyse de sang aidera à différencier la polyarthrite rhumatoïde (ou arthrite rhumatoïde) et l'arthrite psoriasique. Dans la polyarthrite rhumatoïde, une substance chimique particulière présente dans le sang, connue sous le nom de facteur rhumatoïde, a un taux élevé, tandis que dans l'arthrite psoriasique, il est faible.

- Vous pouvez avoir une ou plusieurs articulations touchées d'un côté ou de l'autre de votre corps. Cela peut être causé par une forme rare d'arthrite particulièrement débilitante, dans laquelle les articulations des doigts et des orteils se déforment de façon permanente et ne sont plus fonctionnelles.

- Vous pouvez avoir de l'arthrite de la colonne vertébrale, caractérisée par une raideur et de la douleur au niveau du bas du dos, une douleur des deux côtés au niveau de l'articulation sacro-iliaque (située à l'arrière du bassin).

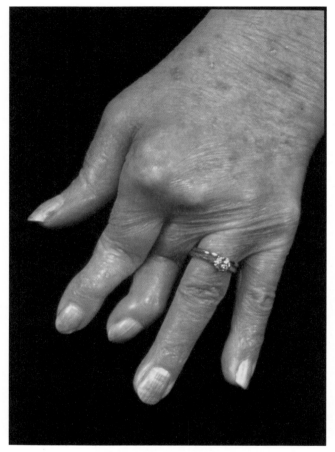

Arthrite psoriasique des doigts.

Traitement

Le traitement de l'arthrite psoriasique est semblable à la prise en charge de la polyarthrite rhumatoïde. On a recours à une panoplie de médicaments.

- Les anti-inflammatoires non stéroïdiens (AINS) suppriment l'inflammation et soulagent la douleur et l'enflure des articulations. Les AINS n'enrayent pas la progression de la maladie. On les appelle « non stéroïdiens » pour les distinguer des corticostéroïdes qui possèdent eux aussi des propriétés anti-inflammatoires.

- La sulphasalazine (médicament à base de soufre) et les sels d'or atténuent l'inflammation et stoppent la progression des maladies des articulations.

- Le méthotrexate intervient sur la division cellulaire et ralentit le renouvellement des cellules épidermiques.

- L'azathioprine, un immunosuppresseur, atténue l'inflammation associée à l'arthrite.

- La ciclosporine A inhibe elle aussi le système immunitaire et traite tant le psoriasis que l'arthrite.

- Les médicaments biologiques (voir pages 65-66).

Pronostic

L'arthrite psoriasique cause moins de douleur et d'incapacité que ne le fait la polyarthrite rhumatoïde. Elle devrait s'améliorer grâce au traitement, même si les problèmes au niveau des articulations risquent de réapparaître subitement à tout moment. Le pronostic est très difficile à prévoir.

VIH et sida

Il arrive que des patients sidéens développent un psoriasis particulièrement sévère. Nombre des traitements antipsoriasiques, dont le méthotrexate, la puvathérapie et la ciclosporine A, risquent de ne pas convenir, car la thérapie immunosuppressive est dommageable à ces patients qui sont déjà immunodéprimés. Les rétinoïdes et la zidovudine (AZT) représentent des médicaments à la fois efficaces et plus sécuritaires d'emploi.

Lien entre le psoriasis et la consommation d'alcool, le tabagisme et l'alimentation

Il semble y avoir un lien entre une consommation excessive d'alcool et le psoriasis. Les recherches indiquent que les hommes atteints de psoriasis sont en général de plus gros buveurs que le reste de la population masculine, ce qui ne semble pas être le cas chez les femmes. Il n'est par contre pas du tout prouvé qu'un abus d'alcool soit effectivement à l'origine d'un psoriasis. Il est tout à fait compréhensible que des gens souffrant de psoriasis se mettent à boire plus que d'ordinaire en raison du stress généré par cette affection désagréable de la peau.

Consommé à de très fortes doses, l'alcool cause des dommages au foie. La plupart des médicaments systémiques antipsoriasiques devant être évités chez les patients atteints d'une maladie du foie (le méthotrexate, par exemple), il importe que les personnes psoriasiques maintiennent leur consommation d'alcool à un niveau raisonnable, faute de quoi, beaucoup d'agents systémiques biologiques qui pourraient maîtriser leur psoriasis ne leur conviendront pas.

Les fumeurs ont un risque accru de développer un psoriasis pustuleux palmo-plantaire ou un psoriasis en plaques chronique. Cela serait dû aux effets néfastes du tabac sur le système immunitaire.

Le rôle joué par l'alimentation sur l'évolution du psoriasis ne semble pas être notable, même si un régime alimentaire équilibré incluant une grande quantité de fruits et de légumes aidera à vous maintenir en bonne santé. Toutefois, si une personne est obèse et que le psoriasis touche les plis cutanés, une perte de poids pourrait s'avérer bénéfique, puisque le frottement des couches de graisse au niveau du ventre ou sous une poitrine volumineuse peut engendrer des plaques particulièrement persistantes.

POINTS CLÉS

- Certains patients psoriasiques souffrent également de problèmes d'articulations. Ces problèmes peuvent être engendrés par le psoriasis; on parle alors d'arthrite ou de rhumatisme psoriasique.

- L'arthrite psoriasique est plus fréquente chez les femmes que chez les hommes.

- L'arthrite psoriasique peut s'améliorer considérablement grâce au traitement.

- Un régime alimentaire équilibré incluant une grande quantité de fruits et de légumes contribuera à vous maintenir en bonne santé et, à tout le moins, n'aggravera pas votre psoriasis.

Où en est la recherche ?

La recherche se poursuit dans le monde entier afin de comprendre le psoriasis et les moyens de le traiter. Des progrès pourraient survenir dans un avenir rapproché, dans le domaine de la génétique moléculaire, même si les gènes précis associés au psoriasis risquent de ne pas être identifiés avant longtemps.

Il est probablement peu réaliste d'espérer découvrir un remède définitif au psoriasis. Cependant, une compréhension plus poussée des effets du psoriasis sur le renouvellement des cellules épidermiques et des modifications immunologiques produites conduira sans doute vers des traitements plus efficaces et aussi plus sécuritaires. Par exemple, nous espérons avoir bientôt à notre disposition des analogues de la vitamine D et rétinoïdes topiques nouveaux et moins irritants.

La recherche actuelle s'attarde sur le rôle des traitements biologiques qu'on a décrits aux pages 65 et 66. Ces produits ciblent justement les anomalies immunologiques connues présentes dans le psoriasis, mais leurs bienfaits sont souvent peu importants si on les compare aux traitements conventionnels. Et on n'a pas encore évalué leurs effets secondaires. Ils coûtent extrêmement cher et doivent être administrés par injection.

Les travaux n'en sont qu'à leurs premiers balbutiements en ce qui a trait à l'utilisation du traitement photodynamique du psoriasis, dans lequel des substances chimiques dérivées de la porphyrine sont appliquées sur la peau avant d'exposer celle-ci à une lumière visible émise par des lampes spéciales. Cette technique est déjà incluse dans le traitement des cancers de la peau sans mélanome dans de nombreux centres de soins à travers le monde.

Questions
et réponses

Pourquoi ai-je du psoriasis alors qu'aucun membre de
ma famille n'en a ?

Le psoriasis a tendance à être héréditaire, mais il existe
aussi des facteurs déclenchants qui activent l'affection.
Certains de ces facteurs sont connus tandis que d'autres
ne le sont pas. Par conséquent, il se pourrait que les
membres de votre famille soient porteurs des gènes du
psoriasis mais que l'affection ne se soit jamais révélée.
Il se pourrait aussi qu'on ait oublié la poussée brève
de psoriasis subie par un de vos proches il y a de nombreuses années.

Mes enfants auront-ils du psoriasis ?

Un enfant court davantage de risque d'avoir du psoriasis si l'un de ses parents en a. Ce risque s'accroît
considérablement si ses deux parents ont du psoriasis.

Pourquoi ai-je du psoriasis maintenant alors que je n'en
ai jamais eu auparavant ?

Pour développer un psoriasis, il faut présenter une
susceptibilité génétique. Il existe ensuite certains facteurs déclenchants qui activent l'affection, tels une

amygdalite streptococcique, des facteurs hormonaux, un coup de soleil, certains médicaments et peut-être le stress. Le psoriasis peut se déclencher à tout moment et peut se développer sans aucune raison évidente.

Le psoriasis est-il contagieux ?
Non.

Le psoriasis se guérit-il ?
À la suite d'un traitement, il arrive souvent que le psoriasis ne revienne pas pendant des mois, voire des années. Il ne peut cependant jamais être complètement guéri, c'est-à-dire éliminé pour toujours.

Puis-je me débarrasser de mon psoriasis ?
En général, le psoriasis se soigne bien. Il existe une multitude de traitements, soit topiques, soit systémiques. Le traitement que vous utiliserez dépendra du type et de la sévérité de votre affection. La plupart des traitements aident à atténuer le psoriasis; certains d'entre eux parviennent même à le blanchir pendant de longues périodes.

Comment évoluera mon psoriasis si je deviens enceinte ?
L'effet de la grossesse sur le psoriasis varie d'une personne à une autre. Certaines femmes remarquent que leur psoriasis s'améliore durant leur grossesse alors que d'autres trouvent qu'il s'aggrave. Si vous prenez des médicaments contre le psoriasis, assurez-vous d'en parler à votre médecin avant de devenir enceinte, car certains d'entre eux peuvent causer des dommages au fœtus.

Existe-t-il des médicaments qui aggravent le psoriasis ?
Oui, certains médicaments peuvent aggraver un psoriasis déjà présent. C'est le cas du lithium prescrit aux patients maniaco-dépressifs (troubles bipolaires) ou des corticostéroïdes pris par voie orale et prescrits pour traiter d'autres affections chroniques. Il arrive parfois que les bêta-bloquants utilisés pour les maladies cardiaques ou l'hypertension artérielle aggravent eux aussi le psoriasis. Enfin, on prétend que certains médicaments antipaludéens aggravent le psoriasis, mais dans la pratique, ils le font rarement.

Le psoriasis est-il engendré par le stress ?
Dans la majorité des cas, non. Chez certaines personnes, toutefois, le stress empire leur psoriasis sans toutefois en être la véritable cause.

Est-ce que je vais souffrir d'arthrite ?
Pas obligatoirement. Dans une étude menée en milieu hospitalier, environ 6 à 8 % des patients psoriasiques avaient développé une forme d'arthrite psoriasique. Les chiffres sont sans doute beaucoup moins élevés dans la réalité, puisque cette étude portait sur des patients atteints de symptômes graves; la plupart des patients atteints de psoriasis léger ne fréquentent pas les services de dermatologie des hôpitaux.

Analyses de cas

Cas 1

Un garçon de sept ans souffre de psoriasis en plaques localisé principalement sur le cuir chevelu, les coudes et les genoux, avec seulement quelques plaques éparpillées sur le reste du corps.

Il serait traité avec des hydratants, des analogues de la vitamine D topiques comme le calcipotriol sous forme de crème ou d'onguent appliqué deux fois par jour, ou une crème à l'anthraline en application de courte durée. Son cuir chevelu pourrait être traité avec une solution pour le cuir chevelu au calcipotriol ou, dans un cas sévère, un produit à l'acide salicylique et au goudron afin de réduire les squames avant l'application de la solution pour le cuir chevelu au calcipotriol. Le traitement s'effectuera sous la supervision de ses parents.

Cas 2

Une fillette de sept ans est atteinte d'un psoriasis très étendu couvrant la presque totalité de son corps.

On doit la diriger vers le service de dermatologie d'un hôpital pour y envisager un traitement à l'anthraline dans le cadre du régime d'Ingram ou peut-être au calcipotriol, l'analogue de la vitamine D, avec ou sans photothérapie aux UVB.

Cas 3

Une jeune fille ou une jeune femme souffre de psoriasis en gouttes de 10 à 14 jours après avoir eu une amygdalite grave.

Ce type de psoriasis s'améliore souvent au bout de six à huit semaines d'utilisation d'hydratants et de calcipotriol. De l'anthraline en application de courte durée est aussi une option en cas de symptômes sévères. Une cure de photothérapie aux UVB de courte durée est souvent très efficace, mais celle-ci nécessite que la patiente soit dirigée vers un service de dermatologie.

Cas 4

Un homme souffre d'un psoriasis en plaques localisé sur quelques régions de son corps seulement.

Des hydratants permettront de réduire les squames et le patient pourrait ne pas souhaiter d'autres traitements. Si toutefois il décide d'être traité, un produit topique à base de vitamine D, comme le calcipotriol, convient le mieux pour commencer, en crème ou en onguent, appliqué deux fois par jour. On peut aussi essayer un produit combinant un analogue de la vitamine D et un corticostéroïde puissant, utilisé quotidiennement pendant un maximum de quatre semaines. De l'anthraline en application de courte durée s'avère une autre option de traitement.

Cas 5

Une femme présente un psoriasis en plaques étendu couvrant la presque totalité de son corps.

Il serait bon d'essayer en premier lieu les analogues de la vitamine D – par exemple, le calcipotriol utilisé localement deux fois par jour – mais uniquement si l'état nécessite moins de 100 g par semaine. Si ce traitement

s'avère inefficace ou si l'état nécessite plus de 100 g
par semaine, la patiente devra être dirigée vers un
service de dermatologie pour y recevoir un traitement
à l'anthraline dans le cadre d'un régime d'Ingram en
association avec une photothérapie aux UVB ou un
traitement au calcipotriol conjugué à une photothérapie aux UVB. On pourrait envisager une puvathérapie
ou des médicaments systémiques si son psoriasis est
vraiment sévère, si le psoriasis ne réagit pas aux autres
traitements ou, dans le cas où le psoriasis a réagi, s'il
récidive trop rapidement.

Cas 6
Un homme souffre d'une forme sévère de psoriasis en
plaques ou de psoriasis pustuleux palmo-plantaire qui
le gêne dans sa vie professionnelle et ses loisirs.
Un traitement bref au moyen d'un corticostéroïde
topique très puissant est justifié, mais il y a de fortes
chances qu'une poussée survienne à nouveau aussitôt
l'arrêt du traitement. Il devrait être dirigé vers le service
de dermatologie d'un hôpital pour y recevoir éventuel-
lement de la puvathérapie ou un autre traitement systémique. En attendant qu'il ait un rendez-vous, il pourrait
utiliser un stéroïde topique.

Cas 7
Une femme âgée est atteinte d'un psoriasis qui s'accompagne de démangeaisons extrêmes, surtout sur
les jambes.
Les personnes âgées ont souvent de l'eczéma. Leur
peau est souvent très sèche et crevassée, et psoriasis et
eczéma peuvent cohabiter. Par conséquent, il faut vérifier si le psoriasis est la cause des démangeaisons. La
patiente pourrait remarquer que l'emploi d'hydratants

dans le bain ou sous la douche, ainsi que sur sa peau, apporte un certain soulagement, surtout si elle les utilise en association avec des onguents corticostéroïdes topiques modérés. Il faut être très prudent avec l'anthraline, même en application de courte durée, car elle peut causer une irritation. Cette remarque s'applique aussi aux analogues de la vitamine D.

Cas 8

Une femme obèse est atteinte de psoriasis des plis, par exemple, aux aisselles, sous les seins ou à l'aine.
Une perte de poids pourrait être bénéfique pour empêcher les frottements sur sa peau au niveau des plis. Elle pourrait utiliser des hydratants et des produits de corticostéroïdes topiques faibles (comme l'hydrocortisone), ou un stéroïde modéré comme le butyrate de clobétasone. Le calcipotriol, analogue de la vitamine D, peut être employé avec précaution, mais il risque de causer des picotements; elle ne devrait donc l'utiliser qu'une fois par jour au début, puis passer à deux fois par jour si le produit est bien supporté.

Cas 9

Une femme souffre d'un psoriasis des ongles sévère.
Aucun traitement topique ne s'est révélé bénéfique aux patients atteints de psoriasis des ongles. Si la patiente est également atteinte de psoriasis en plaques sévère qui justifie un traitement systémique, alors ses ongles pourraient s'améliorer. Elle pourrait aussi remarquer que ses ongles s'améliorent spontanément à tout moment.

Index

Vos pages

Nous avons inclus les pages ci-après en vue de vous aider à gérer votre maladie et son traitement.

Avant de fixer un rendez-vous avec votre médecin de famille, il serait utile de dresser une courte liste des questions que vous voulez poser et des choses que vous ne comprenez pas afin de ne rien oublier.

Certaines des sections peuvent ne pas s'appliquer à votre cas.

Soins de santé : personnes-ressources

Nom :

Titre :

Travail :

Tél. :

Nom :

Titre :

Travail :

Tél. :

Nom :

Titre :

Travail :

Tél. :

Nom :

Titre :

Travail :

Tél. :

Antécédents importants – maladies/ opérations/recherches/traitements

Événement	Mois	Année	Âge (alors)

Rendez-vous pour soins de santé

Nom :

Endroit :

Date :

Heure :

Tél. :

Nom :

Endroit :

Date :

Heure :

Tél. :

Nom :

Endroit :

Date :

Heure :

Tél. :

Nom :

Endroit :

Date :

Heure :

Tél. :

Rendez-vous pour soins de santé

Nom :

Endroit :

Date :

Heure :

Tél. :

Nom :

Endroit :

Date :

Heure :

Tél. :

Nom :

Endroit :

Date :

Heure :

Tél. :

Nom :

Endroit :

Date :

Heure :

Tél. :

Médicament(s) actuellement prescrit(s) par votre médecin

Nom du médicament :

Raison :

Dose et fréquence :

Début de l'ordonnance :

Fin de l'ordonnance :

Nom du médicament :

Raison :

Dose et fréquence :

Début de l'ordonnance :

Fin de l'ordonnance :

Nom du médicament :

Raison :

Dose et fréquence :

Début de l'ordonnance :

Fin de l'ordonnance :

Nom du médicament :

Raison :

Dose et fréquence :

Début de l'ordonnance :

Fin de l'ordonnance :

Autres médicaments/suppléments que vous prenez sans une ordonnance de votre médecin

Nom du médicament/traitement :

Raison :

Dose et fréquence :

Début de la prise :

Fin de la prise :

Nom du médicament/traitement :

Raison :

Dose et fréquence :

Début de la prise :

Fin de la prise :

Nom du médicament/traitement :

Raison :

Dose et fréquence :

Début de la prise :

Fin de la prise :

Nom du médicament/traitement :

Raison :

Dose et fréquence :

Début de la prise :

Fin de la prise :

Questions à poser lors des prochains rendez-vous
(Note : N'oubliez pas que le temps que peut vous consacrer votre médecin est limité. Il est donc préférable d'éviter les longues listes de questions.)

Questions à poser lors des prochains rendez-vous

(Note : N'oubliez pas que le temps que peut vous consacrer votre médecin est limité. Il est donc préférable d'éviter les longues listes de questions.)

Notes

Notes